은행 출신 세무사가 알려주는

병의원 세금의 정석

전) KB국민은행 기업금융지점(중소기업 담당)
전) KB국민은행 개인 영업점(P.B, WM 담당)
전) KB국민은행 여신심사역(대출 전담 본부)
전) KB국민은행 대기업지점(외환 및 대출)
전) KB금융지주 전략기획부 과장
전) 세무법인 한밭 근무 세무사
전) 국세청 천안세무서 경력(법인세, 개인소득세과, 부가세과, 재산세과)
현) 임동훈세무회계사무소 대표세무사

은행 출신 세무사가 알려주는

병의원 세금의 정석

발 행 | 2024년 08월 30일
저 자 | 임동훈
펴낸이 | 한건희
펴낸곳 | 주식회사 부크크
출판사등록 | 2014.07.15.(제2014-16호)
주 소 | 서울 금천구 가산디지털1로 119, SK트윈타워 A동 305호
전 화 | 1670 - 8316
이메일 | info@bookk.co.kr

ISBN | 979-11-419-0166-0

www.bookk.co.kr

병의원
세금의 정석

임동훈 지음

작가의 말

필자가 이 책을 쓴 이유는 은행 자산관리와 세무사 경력을 통해서 원장님들을 여럿 만나면서 투철한 직업정신을 가진 의사분들에 대해서 존경심을 가지게 되었다. 대부분의 원장님들이 사명감을 가지고 환자치료에 바빠서 본인의 자산관리 및 세무 관리를 못하는 분들이 많았다. 이러한 분들의 세무 문제와 더 나아가서 자산 형성을 어떻게 할지에 대해서 자주 물어보는 질문 및 사례를 바탕으로 이 책을 출판하게 되었다. 특히 자산 형성에 대해서는 평소 필자가 생각해왔던 아이디어를 소개했다. 다만, 이 책은 지면상의 한계로 인해 세부적인 절차는 써놓지 않았고, 최대한 숫자를 쓰지 않고 말로 풀어쓰려고 노력했다. 그 이유는 숫자를 많이 써놓으면 내용이 어려워져 보이기 때문이고 세부적인 절차를 쓰지 않은 이유는 원장님들은 여기에 소개된 것을 깊게 아는 것보다 이러한 것이 있다는 것만 알고 있으면 된다. 알고 있는 것과 모르는 것은 절세에 있어서 정말 큰 차이가 난다고 할 것이다. 원장님들은 본업인 환자 진료에 전념하고, 원장님 성향에 맞는 우리와 같은 병의원 전문 세무사를 찾아서 세무 업무를 맡기면 된다.

마지막으로 항상 응원해 주는 사랑하는 가족 아버지, 어머니, 신현수, 임주혁, 임채이에게 감사와 사랑한단 말을 전하며, 책 편찬에 큰 기여를 한 장은주님께 감사의 인사를 전한다. 이 책을 읽으시는 원장님들의 병원이 잘되시길 기원하며 문의사항이나 궁금증은 imcta79@naver.com 으로 해주시길 바란다.

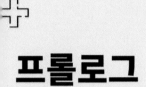

프롤로그

다 쓰고 떠나라!

필자가 가장 좋아하는 말이다. 우리 이전 부모님의 세대는 절약이 미덕이었다. 필자가 세무사로서 상속·증여 설계를 하다 보면 참 안타까운 일들이 많이 있다. 특히, 부모님이 안 쓰고 남기고 간 재산에 대해서, 상속 분쟁이 일어나서 소송까지 가는 경우가 허다하다. 이러한, 상황을 많이 접하다 보니 개인적인 사견으로 재산이 엄청 많지 않은 이상, 최대한 죽기 전에 선행도 베풀고, 하고 싶은 거 다 하는 게 좋지 않을까 하는 생각을 가지게 되었다. 의사분들이 항상 환자들을 돌봐야 하므로 본인의 시간이 없는 게 대부분이다. 어느 정도 자산이 모아졌을 때 인생을 즐기면서 사는 것도 굉장히 좋은 방법이라고 생각한다. 그러기 위해서는 개원해서 일정 기간까지 돈을 잘 벌어야 하고, 돈을 잘 벌기 위해서는 사업을 잘해야 한다. 의사분들은 환자의 건강을 살피는 게 최우선이겠지만, 동시에 하나의 병의원 사업장을 운영하는 경영자라는 것을 반드시 명심하여야 한다.

요즘 새로 지어지는 아파트 상가에 보면 입점한 상가의 대부분이 병의원이다. 이미 대학에서는 의대의 선호도가 다른 과의 선호도보다 월등히 높은 것을 넘어서 요즘 말로 '넘사벽'이다. 열거하자면 더 많지만 이런 현상들이 계속되는 것은 무엇일까? 그렇다 그만큼 의사는 돈을 많이 벌고 훌륭한 직업이라는 인식이 대부분의 사람들에게는 기정사실화가 되어있다 그러다 보니 의사라는 직업에 대해서 선호도가 매우 높은 것이다. 그렇다면 과

연 의사가 돼서 개원을 하면 아무 걱정 없이 부와 명예를 쉽게 얻을 수 있을까? 과거에는 이러한 대답이 어느 정도 맞았으나 최근에는 너무나도 치열한 경쟁으로 인해 개원한 병원도 안되고 폐업하는 경우가 많이 증가하였다. 그러한 원인 중에 하나는 마케팅 실패 등의 문제도 있지만 필자가 경험해 본 바로는 이러한 원인보다는 세금 관리를 통한 TAX 전략이나 노무관리를 잘하지 못하고, 이러한 것들이 계속적으로 악순환을 하다 보니 어려움에 처하는 경우가 대부분이었다.

이 책에서는 필자가 은행원 시절부터 경험한 병원, 의원, 한의원, 약국 등의 대출 관리 및 자산관리를 통해 쌓은 경험과 지식, 또한 세무사가 되고 나서 다수의 병의원 세무 대리를 수행하면서 의사분들이 궁금해하는 내용을 바탕으로 만들어졌다.

이 책의 구성은 다음과 같다.

첫 번째로는, 개원을 하였을 때 알아야 할 정보에 대해서 구성하였다. 두 번째로는 병의원을 운영하면서 알아야 하는 절세 방법 및 세금에 대한 내용으로 채워졌다. 세 번째로는 병의원을 통해 얻은 자산에 대해서 어떠한 방식으로 관리를 해야 하는지에 대해서 기술하였다. 네 번째에는 세무조사를 다루고 다섯 번째, 병의원에서 근무하는 직원들의 노동법 및 사회보험에 대한 내용, 여섯 번째 유용한 병의원 세액공제, 일곱 번째 원장님들이 관심이 많으신 업무용 승용차 관련 내용을 담았다.

많이 부족하지만 의사분들이 꼭 알아야 할 부분을 최대한 자세하고 알기 쉽게 쓰려고 노력했다. 이 책을 읽으시는 모든 분들에게 많은 도움이 되길 기원한다.

CONTENT

제1장

개원 과정 시 필요한 정보

제1장 개원 과정 시 필요한 정보

병원 개원시 순서

01. 상권분석 및 입지분석 등

요즘에는 병원 입지를 컨설팅 해주는 업체들이 많이 늘어나고 있다. 물로 좋은 컨설팅업체를 만나서 전적으로 맡기는 것도 좋지만, 원장님들이 직접 상권도 분석해 보고 경쟁병원에 대해서 직접 알아보는 것이 더욱더 중요하다. 좋은 입지 요건이라는 것은

> (ㄱ) 역세권이거나 위치가 찾기 쉬운 자리
> (ㄴ) 유동인구가 많거나 대단위 아파트 단지가 있는 지역
> (ㄷ) 경쟁병원이 적은 자리
> (ㄹ) 건물이 너무 낙후되거나 오래되지 않고 깔끔한 환경을 가진 자리

위와 같이 좋은 입지에 병원 장소를 확보하기 위해서는 조언도 구하고 직접 발품도 팔기도 하여 개원할 병원 장소를 찾았다면 다음과 같은 사항을 반드시 점검해야 한다.

(1) 확정일자

임대 기간 중에 건물주가 채무불이행으로 인해 경매로 넘어가는 경우 임대보증금을 받지 못하는 상황이 발생할 수 있다. 이러한 경우를 대비하기 위해서는 관할세무서에 사업자등록을 신청할 때 확정일자를 받아 상가건물 임대차보호법을 적용받는 것

이 좋다. 수도권 쪽에서는 상가건물임대차보호법 적용 대상이 아닌 경우가 많기 때문에 전세권을 설정하여야 한다.

(2) 임차료 적격증빙 수취

매달 발생하는 임차료를 임대인으로부터 반드시 적격증빙을 받아야 한다. 간혹 임대인이 간이과세자이면 세금계산서를 발급해 줄 의무가 없기 때문에 그러한 경우에는 건물주의 계좌에 입금 후 금융거래내역과 임대차계약서를 가지고 있으면 경비처리가 가능하다.

(3) 계약 시 단서 조항 확인

임대차계약 시 반드시 계약서상의 특약사항을 잘 확인하고 궁금한 사항이 있다면 반드시 물어봐서 그 부분을 명확히 하고 가야 한다. 주변 원장님들 중 계약서를 제대로 읽어보지 않고 계약했다가 손해를 보는 경우가 가끔 있다. 다음은 특약사항 중 확인해야 할 부분이다.

1) 인테리어 가능 시점과 인테리어 공사기간 중의 월세 및 관리비를 어떻게 할 것인지
2) 임대료 안에 부가가치세가 포함된 금액인지 아니면 제외된 금액인지
3) 같은 건물에 같은 진료과목의 의료기관을 개원하는 것을 제한하는 규정 유무

4) 건물주의 예금주가 일치하는지 여부

02. 개원자금 확보

조달 방법	장점	단점
자기 자본	- 시간·노력↓ - 이자·원금 상환X	- 투자 기회↓ - 이자 절세 효과X
대출	- 이자 절세 효과 - 본인 여유자금 투자	- 복잡한 서류 준비 - 은행 직접 방문 - 높은 이자 및 원금 상환에 대한 부담
증여	- 부모님 부(富) 조기 이전 - 내 자산 다른 곳에 투자 - 배우자증여 6억 활용	- 증여세 문제 발생 - 증여세 신고로 인한 비용
가족 차용	- 낮은 이자율로 차용 - 만기를 자유롭게 선택	- 세무서 증여 추정 위험 - 차용증을 반드시 구비 - 차용증 공증시 비용↑

　　개원을 하려면 가장 중요한 요소인 자본을 어떻게 조달할 것
이 가장 첫 번째로 고려해야 할 요소이다. 개원자금을 마련하는
것에 대해서는 보기 쉽게 표로 요약하자면 위와 같다.

(1) 자기자본을 이용

개원자금으로 자기자본을 활용하는 경우, 은행에 가서 대출을 하는 번거로움이 없이 바로 개원이 가능하므로 시간과 서류를 준비하는 수고로움이 줄어든다. 또한, 요즘과 같이 이자율이 높은 시기에는 대출뿐만 아니라 초기에 비용이 많이 들어가게 되므로 부담이 될 수 있으나, 자기 자금은 그러한 부담이 없기 때문에 자금 여력이 있다면 자기자본을 추천한다.

(2) 대출

대출을 이용하는 방법은 당연하겠지만 1금융권의 대출을 이용하는 방법을 말한다. 1금융권이 아닌 2금융권이나 캐피탈을 이용하여 대출을 하는 경우에는 이자율이 높을 뿐만 아니라 신용도에도 안 좋은 영향을 미치므로 지양하여야 한다. 또한 금융권이 아닌 개인에게 돈을 빌리게 되면, 자금을 빌려준 사람에게 이자를 지급하여야 하고, 이자를 지급할 때 이자금액에서 27.5%를 원천징수하고 그 이자 지급 내용을 세무서에 신고하여야 하는 번거로움이 발생한다. 또한 자금을 빌려준 사람은 종합소득세를 신고해야 하므로 세 부담이 증가할 수 있다. 따라서 부득이한 경우가 아니고서는 1금융권의 대출을 이용하는 것이 가장 유리하다.

대출을 사용하는 경우 적은 이자비용으로 투자를 할 수 있는 레버리지 효과가 있기 때문에 사용하는 이유가 가장 크지만, 이자비용을 통해 절세효과를 누릴 수 있다. 특히, 병의원 의사분들은 처음에는 비용이 크므로 이익이 낮아 세율이 높지 않지만, 개원 후 2~3년 정도 되면 세율은 최소 35% 이상 넘는 세율을 적용받는다. 예를 들어 이자를 연 1천만 원 부담한다면 비용으로 인정받기 때문에 1천만 원에 35%만큼 세금을 줄이므로 실질적으로 부담하는 이자는 650만 원이다. 이와 같이 세금으로 인해 절세효과가 발생하므로 실질적으로 은행에 부담하는 표시 이자율이 아닌 더 낮은 이자율로 대출을 사용하는 효과가 발생한다.

　대출을 받을 때 일반적으로 의사분들은 닥터론이라는 은행 상품을 이용하여 비교적 낮은 금리로 신용대출을 받을 수 있으며, 닥터론을 받아도 자금이 부족한 경우 신용보증기금을 통한 보증서를 발급받아 은행에 제출함으로써 낮은 금리로 자금을 마련할 수 있다. 이에 대한 자세한 사항은 아래 TIP에서 설명하겠다.

TIP.

닥터론은 시중은행(IBK 기업, KB국민, 하나은행 등) 개원의를 대상으로 대출을 해주고 있다. 각 은행마다 금리를 비교해 보고 가장 낮은 금리를 주는 곳으로 선택하는 것이 좋다. 또한 각 은행마다 대출금액을 주는 한도를 다르게 하고 있으므로 반드시 한도와 금리를 비교해보고 선택하여야 한다. 마지막으로 중요한 것은 마이너스통장을 쓸 것인지 아님 한 번에 대출을 일시금으로 받을 것인지를 선택하여야 한다. 잘 모르는 분들은 당장 큰돈이 필요 없는데 마이너스 대출을 쓰지 않는다. 그렇게 되면 이자비용이 올라가서 쓸데없는 비용을 부담하는 결과를 가져오게 되므로 반드시 자금 수요를 예측하고 마이너스 통장으로 대출을 받을 것인지 일시 대출로 받을 것인지 결정하여야 한다.

TIP.

닥터론으로 대출금액이 부족한 경우, 신용보증기금에 예비창업보증이란 제도를 이용해서 적게는 1억에서 10억까지 보증서를 발급받아 은행에 제출하여 대출을 받을 수 있다. 다만, 이 예비창업보증을 이용하기 위해서는 창업하는 원장님들을 지원하는 제도이므로 신용보증기금 심사전에 사업자등록을 하지 않는 것이 중요하다.(정확히 말하자면 사업개시일이 심사일 이전이어야 한다.) 마지막으로 보증서 한도는 담보 없이 1억이고 원장님 개인통장에 예금담보가 있다면 최대 10억까지 보증서를 발급받을 수 있으므로 자세한 사항은 신용보증기금 담당자와 상담을 통해 정확한 요건을 알아보는 것이 중요하다.

(3) 증여

증여는 다른 사람에게 무상으로 금전을 제공받는 것을 말한다. 여기에서 가족 간 증여는 일정한 금액으로 증여세가 나오지 않는데 다음 표와 같다.

증여자	배우자	직계존속[주1]	직계비속[주2]	기타친족[주3]
공제한도액	6억 원	5천만 원	5천만 원	1천만 원

주1) 나를 중심으로 수직으로 연결된 부모, 조부모 등 윗세대를 말함.
주2) 나를 중심으로 아래 세대에 속하는 자녀, 손자녀, 외손자녀, 증손 자녀 등을 말하며 법률상의 양자와 생자녀도 포함됨.
주3) 6촌 이내 혈족, 4촌 이내인 척

과세표준	세율	누진공제액
1억 원 이하	10%	없음
5억 원 이하	20%	1천만 원
10억 원 이하	30%	6천만 원
30억 원 이하	40%	1억 6천만 원
30억 원 초과	50%	4억 6천만 원

Ref) 여기에서 누진공제액이란 세율을 적용 시 누진적으로 적용하므로 누진공제액을 차감하여야 한다.
증여받은 금액 1억: 1억 10% = 1천만 원,
증여받은 금액 5억: (5억 20%)-1천만 = 9천만 OR (1억 10%)+(5억-1억) 20% = 9천만
증여받은 금액 10억: (10억 30%)-6천만 = 2억 4천만 원 OR (1억 10%)+[(5억-1억) X 20%] + [(10억-5억) 30%] = 2억 4천만 원

1) 부모님께 개원자금을 증여받는 경우

위에 표와 같이 부모님께는 5천만 원까지 공제가 되므로 5천만 원에 대해서는 전혀 세금이 발생하지 않는다. 다만, 5천만 원을 초과하는 금액에 대해서는 누진세율로 세금이 발생되므로 적정한 금액을 증여를 받고 모자라는 부분에 대해서는 대출이나 차입을 이용하는 것도 좋은 방법이다.

다만, 여기에서 주의점은 부모님이나 조부모 모두 합쳐서 5천만 원만 공제가 가능하다. 대부분 어머니가 5천만 원 아버지가 5천만 원 할머니가 5천만 원 할아버지가 5천만 원 이렇게 받을 수 있다고 생각하는데, 모두 합쳐서 5천만 원까지만 증여재산 공제가 가능하다는 것을 알아 둘 필요가 있다. 따라서 위 사례처럼 조부모와 부모님 모두 2억을 받는 경우 5천만 원까지만 공제되고 나머지 1억 5천만 원에 대해서는 (1억 10%) + (5천만 20%) = 2천만 원의 증여세가 발생한다.

마지막으로, 부모님께 미리 증여받는 경우에 부모님의 자산이전을 앞당김으로써 상속세를 줄이는 효과가 발생하므로 이에 대한 절세전략을 전문 세무사와 함께 상담하는 것도 좋은 방법이다.

2) 배우자에게 증여받는 경우

배우자는 증여재산 공제한도액이 6억 원으로 매우 크다고 할수 있다. 배우자가 어느 정도 재산이 있는 경우 배우자에게 6억까지 증여를 받아도 전혀 세금이 없으니, 배우자에게 증여받아개원자금을 마련하는 것도 하나의 방법이다.

(4) 가족 차용

가족 차용은 실질적으로 특수관계인 간의 거래이므로 과세당국에서도 굉장히 엄격하게 해석하여 증여로 추정할 수 있다. 세무공무원이 세무조사 등을 통해 증여로 추정했을 경우, 해당 납세자는 증여가 아니라는 것을 소명해야 한다. 소명이라는 것은세무공무원이 증여가 아니라는 것을 이해할 수 있을 정도의 근거를 제출해서 증여가 아니라는 것을 해당 당사자가 입증을 하는 행위를 말한다. 여기에서 소명은 말로 할 수 있는 것이 아닌서류나 증빙으로 해야 하는데, 이때 소명을 하지 못한다면 담당세무공무원은 증여로 보아 증여세를 부과하게 되고, 증여세 및가산세를 납부하여야 한다.

그렇다면 가족 간에는 돈을 빌려주고 갚을 수 없는 것인가?
실질적으로 가족 간에도 돈을 빌려주고 갚을 수 있다. 다만,특수관계인이다 보니 제3자 간 거래와는 다르게 돈을 그냥 무상으로 주었다고 추정하는 것이다. 그렇다면 이러한 증여세 세금부과를 막기 위해서는 어떤 증빙이 필요한 것일까?

정답은 첫째, 차용증을 정확히 써서 서로 가지고 있고, 공증이나 내용증명, 전자계약서를 통해서 명확히 문서화시키는 것이다.

둘째, 세법에서는 이자에 대해서는 1년에 1천만 원 이하까지는 무이자로 빌려주더라도 증여로 보지 않는다. 현재 상증세법에서 정하는 법정이자율은 4.6%이다. 이를 역산해 보면 1천만/4.6%=217,391,304원이다. 이는, 반대로 이야기하면 원금 217,391,304원 만큼은 무이자로 빌려줘도 증여로 보지 않겠다는 것이다. 가끔 유튜브나 인터넷에서 가족 간에 2억 원까지는 무이자로 빌려줘도 된다고 되어있는데 그렇다면 왜 217,391,304원이라고 하지 않고 2억 원이라고 할까? 그 이유는 1천만 원에서 1원만 넘더라도 1천만 원 전체를 모두 증여로 보기 때문에 그러한 리스크를 줄이고 이해를 쉽게 하기 위해서 2억 원까지 무이자로 차용하면 된다고 이야기하는 것이다. 필자는 물론 무이자로 빌려줘도 2억까지는 큰 무리가 없지만 세무조사 시 입증을 위해 최소한의 이자는 반드시 통장으로 주고받아 정확한 근거를 남기시라고 조언한다. 2억에 대해서 1% 정도면 1년에 2백만 원이다. 2백만 원을 12개월로 나누면 20만 원이 채 되지 않는다. 이러한 금액을 부모님 통장에 자동이체를 통해 이자 준 것이 명확하다면 추후에 세무조사 시에도 입증을 할 수 있으므로 증여가 아니라는 것을 소명하는데 유리하다. 또한, 원금 상환 만기는 부모님과 상의해서 차용증에 반드시 표시해 두는 것이 좋다. 혹시라도 만기 전에 부모님이 연로하셔서 상속으로 진행될 경우 부모님의 채권으로 상속재산에 합산된다. 상속공제는 배우자가 살아있는 경우 10억에서 30억까지 배우자 상속공제도 활용할 수 있으므로 상속으로 받는 것이 유리할 수 있다.

> **TIP.**
> 부모님 증여와 차용을 같이 사용하면 보다 많은 개원자금을 마련할 수 있다. 예를 들어, 10년간 부모님으로부터 받은 재산이 없다면 최소 세율이 10% 구간인 1억 5천만 원을 증여로 부모님 각자에게 2억 원씩 차용하면 최소 5억 원의 개원자금을 마련할 수 있다. 다만, 이는 과세당국으로부터 증여로 추정될 수 있으므로 전문가의 상담 및 코칭을 통해 진행하는 것이 좋다.

03. 의료장비 선정 및 구입방법 설정

의료장비의 구입은 필자보다 병원 원장님들이 더 전문가이므로 그에 대한 설명은 하지 않겠다. 다만, 의료장비를 구입할 때 구입 방법을 리스, 할부, 일시불로 할 것인지를 고민하는 원장님들이 많다.

의료장비를 구입할 때는 이용계획, 비용 측면, 절세효과, 법적 증빙, 현금흐름 등의 현재 병원 상황을 고려해 적합한 방법을 선정하여야 한다.

　일시불의 경우 자기자본으로 할 수 있지만 대부분의 원장님들은 타인자본 즉 대출을 이용하여 구입하는 경우가 대부분이다. 이에 대해서는 신용보증기금을 통해 보증서 발급받아 대출을 받거나, 시중은행에서 제공하는 닥터론과 같은 병원 원장님들을 위해서 마련된 상품이 있으니 적합한 상품을 통해 낮은 이율로 대출하는 것을 추천한다.

　할부의 경우 신용카드 등을 이용하거나 원금과 이자를 나눠서 갚는 것을 말한다.

　일반적으로 고가 장비인 경우 리스 방식을 많이 사용한다. 리스 방식은 크게 금융리스와 운영리스 방식으로 나누어지는데 이는 소유권이 누구에게 있는지에 따라 구분된다. 금융리스의 경우 병의원에 소유권이 있는 것을 말하며, 운용리스는 소유권이 리스 회사에 있는 것을 말한다. 소유권이 병의원에 있다는 것은 장비를 자산으로 잡고 감가상각비와 리스료를 비용으로 처리할 수 있다. 반면, 운용리스의 경우 리스회사의 소유권이 있으므로, 리스료만 비용처리가 가능하다.

　비교를 하자면 대출을 통해 의료기기를 사게 되면 초기에 이자만 부담하므로 병원의 초기 운영 비용에 부담을 덜 할 수 있지만, 리스나 할부로 하게 되면 원금과 이자를 같이 상환하기 때문에 병원의 초기 운영비용에 부담이 있을 수 있다.

이는 어떠한 방식으로 할 것인지는 금융비용을 따져보고 가장 낮은 비용으로 선택하는 것이 가장 좋다.

또한, 뒷장에서 설명하겠지만, 의료장비를 구입 시 세법상 투자세액공제를 적용받을 수 있는지 반드시 고려하여야 한다.

04. 세무사 선정

대부분의 원장님들은 개원을 준비하면서 세무사를 선정해야 한다. 그 이유는 개원뿐만 아니라 개원 후에도 세무업무는 매우 중요하다. 특히, 어떤 세무사를 만나는지에 따라서 여러 가지 리스크를 줄일 수 있다. 아래에서는 세무사 유형별로 설명하겠다.

구분	고시 출신 세무사	국세청 출신 세무사	사무장 영업 세무사
장점	- 세무사와 직접 의사소통 잘됨 - 열정적인 업무처리	- 세무서 실무경력 - 세무조사 시 소통 부드러울 수 있음	장점 없음
단점	- 세무서 실무경력 x - 세무조사 시 의사소통 어려움	- 의사소통이 어려움 - 관료적인 업무처리 - 세무사가 아닌 직원 업무처리 대응으로 인한 전문적인 부분에 대해서는 의사소통이 안 됨	- 세무적인 문제가 생겼을 때 책임을 아예 안질 수 있음 - 비전문적인 지식을 통해 세무조사 걸릴 확률이 큼

(1) 고시 출신 세무사

여기에서 고시 출신 세무사는 세무서 및 국세청 경력이 없이 세무사 시험을 1차부터 2차 모두를 통과한 세무사를 말한다. 특히 나이가 어린 세무사들 즉, 대학생부터 세무사 공부를 시작해서 합격한 세무사들은 병의원 전문 세무사라고 블로그 등을 통해 홍보하면서 본인이 병의원 전문 세무사인 것을 확대 홍보하는 세무사들이 있다. 이러한 세무사들은 웬만하면 피하는 것이 좋다. 물론 블로그를 통해 홍보하는 병의원 전문 세무사를 모두를 폄하하는 것은 아니다. 원장님들은 세무사 업계를 잘 알지 못하니 대부분은 주변에 미리 개원한 동료 원장님들의 소개를 통해서 세무사를 고용하는 분들이 대부분이다. 그러나 가끔 원장님들 중에 지인 소개를 싫어하고 인터넷을 통해 알아보는 원장님들이 계신다. 네이버에 병의원 전문 세무사를 치면 대부분 광고성 글이 뜨는데, 이런 글들의 대부분이 학생 출신 세무사들이다. 그중에서 괜찮은 세무사를 고르는 팁을 말하자면, 병의원 전문 세무사라고 하는 블로그를 보면 업데이트나 지속적인 글이 올라오는지 확인하면 알 수 있다. 또한 인터넷 광고를 읽어봤을 때 진심으로 작성한 글인지 몇 개만 읽어봐도 알 수 있다.

예를 들어, 2~3일 내로 병의원 관련 글이 작성되어 있고 블로그상에 최근 글 이후로 글이 없는 것은 병의원 전문 세무사가 아니다. 그냥 검색하다가 얻어걸리라는 식으로 블로그를 통해 쓰는 것이므로 이러한 세무사는 피하는 것이 좋다. 같은 블로그 공간 안에 다양한 세무 업무를 한다고 쓰여 있는데, '나는 병의원 전문 세무사가 아닙니다'라고 광고하는 것이다. 이런 세무사들은 실질적으로 병의원이 한 개도 없는 곳이 태반이다. 또한, 본인이 병의원 전문 세무사라고 하고 병의원이 하나 들어오면 그 병의원을 마루타처럼 사용할 수 있는 것이 가장 큰 단점이며, 무언가 질문했을 때, 바로 답변을 하지 못한다. 그렇다면 이렇게 단점만 있고 장점은 없는 것인가? 그렇지는 않다. 이러한 세무사들은 굉장히 열정적이고 병의원이 하나 정도 밖에 없기 때문에 엄청나게 공을 들인다. 따라서 원장님이 궁금한 사항을 물어보면, 이곳저곳에서 물어봐서 최대한 성의 있게 답변을 하려고 한다. 다만, 그러한 답변도 100% 맞는 답변이라고 볼 수 없으므로 항상 세무리스크가 있으므로 주의하여야 한다.

그렇다면, 고시 출신 세무사 중에서 병의원 전문 세무사를 어떻게 찾을 수 있을까? 실질적으로 병의원 전문 세무사는 병의원만을 전담으로 하는 세무사를 말하는데, 세무사 중에서 병의원만을 전문으로 하는 세무사는 극소수이다. 대부분 다른 업종을 가지고 있으면서 병의원 전문 세무사라고 하는 경우가 대부분이다. 따라서, 원장님들 중에 지인 소개가 아닌 인터넷에서 세무사를 찾고 싶은 분들은 직접 세무사를 만나거나 전화상담을 통해 지금 기장하는 병의원의 수를 물어보고, 본인의 과가 있는지도 확인해 보는 것이 좋다. 여러 병원을 기장하게 되면, 세무사는 그에 대한 경험과 데이터가 쌓이게 되어 절세 및 세금에 대한 최고의 솔루션을 제공할 수 있기 때문이다.

(2) 국세청 출신 세무사

국세청이나 세무서 출신 세무사는 이분은 현직에 있었으므로 세금에 대해서 전문적으로 많이 알고 무언가 세무서에서 문제가 터졌을 경우 잘 해결해 줄 것이라고 생각하는 것이 대부분이다. 그러나 이러한 생각은 반은 맞고 반은 틀리다. 국세청 출신 세무사들도 다음과 같이 시험을 본 공무원과 자동자격으로 된 공무원으로 크게 분류될 수 있다.

1) 세무사 시험을 합격한 공무원

물론 다 그런 것은 아니지만 시험에 합격한 공무원들은 실력이 있는 분들이다. 특히 실무와 업무를 모두 겸비하여 세무적으로 복잡한 문제를 풀 수 있는 능력이 있는 분들이다. 하지만 이러한 분들의 단점은 아무래도 공직 생활의 기간이 있기 때문에 직접 본인이 신고프로그램이나 회계프로그램을 다루지 못하고 기장 대부분의 상담을 직원들이 맡게 된다. 그러나 세무사무소의 직원들의 수준은 그리 높지 않다. 100명 중에 2~3명 정도 되는 비율로 세무사무소의 일을 자기 일처럼 하는 직원이 있긴 한데 거의 대부분은 수준 미달이라고 보면 된다. 현재 세무사무소의 인력구성은 세무사 1명에 이를 보조하는 여직원으로 구성되어 있는데, 대부분 직원들은 굉장히 불친절하고 사무적이다. 따라서, 세무사와 함께 의사소통하는 것에 대한 대부분 어려움을 많이 느낄 것이다.

2) 세무사 자동 자격 부여 공무원

현재는 폐지되었으나, 과거 5급 승진 후 5년 이상 근무한 세무공무원에게 자동으로 세무사 자격을 부여하는 제도로 세무사가 된 공무원들이 있다.

물론 이분들도 다 그런 것은 아니지만, 실력이 훌륭하다고 할 수 없다. 세무서 특성상 과장 출신 세무사님들은 결제 위주로 하기 때문에 실무에서 감을 잃는 경우가 대부분이고 이러한 분들의 대부분이 어느 하나의 과에 경력이 있기 때문에 그 분야가 아니면 잘 모르는 게 대부분이다. 따라서, 반드시 어느 분야에서 근무했는지 그 분야의 전문인지를 확인할 필요가 있다. 확인하는 방법은 첫 번째, 명함을 받거나 블로그나 홈페이지가 있는 경우 그것을 통해 어떠한 분야에서 얼마나 근무를 했는지 알 수 있다.

특히 조사과 몇 년 근무 재산세과 몇 년 근무 이렇게 되어 있다면, 그 분야에서는 전문일 가능성이 있으니 참고하시면 된다. 두 번째, 소개를 통해서 하는 방법도 좋다. 원장님 중에 세무적으로 비슷한 일을 겪는 경우가 많기 때문에, 그 부분에 대해서 경험이 있으신 동료 원장님을 통해 알아보는 것도 좋은 방법 중에 하나이다.

(3) 사무장 영업 세무사 사무실

이러한 곳은 가장 피해야 할 곳이다. 특히 위에 설명한 과장님 출신 세무사 사무실이 사무장을 끼고 하는 사무실이 많은데 이는 정말 최악 중에 최악이다. 차라리 아무것도 모르는 고시 출신 세무사가 훨씬 낫다고 할 수 있다. 사무장 영업을 하는 대부분의 사무장들이 세법에 대해서 잘 알지 못하면서 그간에 경험을 바탕으로 세금을 줄여주겠다고 하는 말도 안 되는 방식으로 영업을 하는 사무장들이 많다. 특히 아무것도 못하는 세무사는 자격증만 명의 대여하고 허수아비로 앉아있는 경우가 대부분이다. 더 위험한 것은 나중에 세무 리스크가 터졌을 경우 물론 일정 부분 세무사가 책임을 지겠지만, 안하무인 격으로 나오는 사람들이 대부분 사무장이 영업해서 가져가는 세무사 사무실이다. 이러한 사람들을 거르는 방법은 처음부터 세무사가 직접 나와서 상담을 하지 않고 자꾸 사무장 본인하고 만나기를 고집한다. 이러한 곳은 거의 대부분 세무사들이 그에 대한 전문지식이 없거나 상담을 해도 아무런 병의원 세법 지식이 없어 대화가 안 되는 경우가 대부분이다. 따라서 원장님들이 세무사를 선택할 때 병원 직원한테 위임 하지 말고 직접 세무사를 만나서 대화도 해보고 해서 사무장이 좌지우지하는 세무사 사무실이 아닌 곳임을 여러 경로를 통해서 확인해야 한다. 그렇지 않고 그냥 하는 경우 잘못된 선택을 하게 되고 이에 대한 피해는 후유증이 너무 커서 돌이킬 수 없는 후회를 하게 된다.

(4) 결론

세무사를 선정하는 것은 병원을 하면서 매우 중요한 사안이다. 필자가 생각하는 가장 좋은 방법은 동료 원장님들의 세무사 추천을 몇 군데 받아서 원장님이 직접 만나보고 결정하는 것이 가장 좋은 방법이라고 생각한다. 세무사와 직접 미팅을 통해 의사소통 방법이 어떻게 되는지 사무장이 있는지를 물어보는 것이 좋다. 특히 같은 병원을 운영하는 원장님들이 세무 서비스를 받아보고 만족하였다면, 분명 본인도 세무 서비스에 대해서 만족할 확률이 높아진다.

05. 의료기관 개설신고 및 사업자등록증 신청

(1) 의료기관 개설신고

사업자등록증 신청이나 카드 단말기 등을 설치하기 위해서는 의료기관 개설신고 필증이 필요하므로 개설신고를 먼저 하는 것이 좋다. 물론 사업자등록증이 갑자기 필요한 경우가 발생할 수 있는데 이러한 경우에는 세무서에 사업자등록증을 신청하면서 의료기관 개설신고 필증을 보완을 하겠다고 하고 미리 사업자등록증을 발급받을 수 있다.

> **의료기관 개설신고 시 필요 서류**
>
> 1. 의료기관 개설신고서 및 진료과목, 시설, 정원 등의
>   개요설명서 : 보건소 홈페이지에서 다운로드 가능
> 2. 의사 면허증, 전문의 자격증 등
> 3. 건물 평면도 및 구조설명서
> 4. 의료보수표

(2) 사업자등록증 신청

사업자등록증은 병의원을 운영하기 위해서 반드시 필요한 서류이다. 특히 대출을 받거나 개원 시 인테리어 비용 및 의료기기 등을 구입하면서 비용처리를 위한 세금계산서를 받거나 현금영수증 등 적격증빙을 받을 때 사업자등록번호가 반드시 필요하다. 또한 사업자등록번호로 세금 신고를 해야 하므로 반드시 사업자등록은 필수이다. 사업자등록은 병원에서 직접 할 수도 있지만, 일반적으로 세무사를 선정하고 난 다음이므로 세무사에게 대행 시킬 수도 있으니 참고 바란다.

사업자 등록 시 필요 서류

1. 사업자 등록 신청서
2. 의료기관 개설신고필증 사본
   (의료기관 개설신고필증이 아직 나오기 전이라면 사업계획서와
   인테리어 계약서를 제출하고 추후 의료기관 개설신고필증을 사후 보완)
3. 임대차계약서 사본
4. 의사 면허증 사본
5. 원장님 신분증 사본
6. 대리인 신분증 사본

---

(3) 카드단말기 신청

카드 단말기는 환자가 카드로 결제하거나 현금으로 결제하고

현금영수증을 요청 시 카드 단말기를 통해서 발급해야 하므로 미리 신청하여야 한다.

카드 단말기 신청 시 필요 서류

1. 사업자등록증 사본
2. 의료기관 개설신고필증 사본
3. 의사 면허증 사본
4. 신분증 사본
5. 카드 매출이 입금될 통장 사본

---

06. 직원 채용 및 간호사 채용

원장님들이 더 잘 아시겠지만 간호사나 병원 직원을 채용하는 것은 매우 중요하다. 흔히 말하는 요즘 MZ세대의 직원들은 자기주장이 매우 강하며, 자기중심적인 사람들이 많다. 만약 근로계약서를 제대로 작성하지 않거나 급여를 편법으로 지급하면 노동법상으로 큰 문제가 발생할 수 있다. 필자와 거래하시는 원장님들에게 반드시 노무사와 함께 하시라고 권유한다. 요즘에는 대부분의 원장님들이 이 부분에 대해서 노무사와 월 계약(수수료 22만 원)을 통해 급여 지급 및 근로계약서를 작성한다. 괜히 조금 아끼신다고 노무사를 끼지 않고 하다가 노동법을 위반하거나 간호사나 직원이 앙심을 품고 퇴사하면서 노동부에 신고하는 경우 굉장히 골치 아픈 상황이 생기게 되므로 유의하여야 한다.

 필자의 경험에 의하면 병의원뿐만 아니라 음식점 업종은 더 근로자들과 마찰이 심하다. 최근에는 이러한 문제만 일으키고 임금이 비싼 근로자들을 대체하는 로봇 써빙기가 보편화되고 있다. 또한 각 자리마다 키오스크 형식의 메뉴판을 고객이 직접 선택하여, 그 전보다 인간의 인력이 덜 들어가는 방향으로 나아가고 있다. 이는 병원도 마찬가지이다. 최근에 방문한 이비인후과에서 접수, 수납 후 처방전, 각종 증명서 발급을 고객이 직접 할 수 있도록 키오스크로 도입되어 있는 것을 보았다. 대부분의 카운터 직원들은 매우 바쁘기 때문에 불친절한 경우가 많다. 키오스크를 이용하면 이러한 불쾌한 상황을 겪지 않기 때문에 필자는 키오스크로 수납 및 처방전을 받아봤는데, 매우 사용하기가 쉽다고 느껴졌다. 병의원의 특성상 100% 로봇으로 인력을 대체할 순 없지만, 접수나 수납과 같은 단순 업무를 키오스크로 대체함으로 인해 비싼 임금과 불만투성이의 직원을 대체하는 좋은 수단이라고 생각한다.

제**2**장

병의원 운영과 관련 정보

제2장 병의원 운영과 관련 정보

이장에서는 병의원 운영과 관련하여 설명하고자 한다. 병의원은 다른 업종과 달리 운영 방식 중에 특이한 방식이 있는데 아래에서 자세히 설명하고자 한다.

01. 공동개원

(1) 동업계약서

공동개원 시 반드시 동업계약서를 꼼꼼하게 작성하여야 한다. 병원을 운영 하다 보면 정말 많은 일들이 발생된다. 이러한 일들이 있을 때마다 동업 원장님과 상의를 할 수 없고, 이러한 일들이 지속적으로 반복되면 아무리 친한 사이라도 섭섭한 감정이 쌓이게 된다. 특히 돈과 관련해서 수익의 분배라든지 비용의 부담과 관련하여 상대방과의 입장 차이가 있을 수 있으므로 세세하게 정리된 동업계약서는 반드시 필요하다.

분쟁이 될 만한 사항들을 반드시 정리 해야 하며, 구체적인 사항까지 꼼꼼하게 따져서 만들어야 한다. 아무리 구체적인 사항을 정한다고 하더라도 모든 사항을 다 넣을 수는 없다. 따라서 미리 계약서 상에 정하지 않았다면 반드시 열린 마음으로 서로를 이해하고 오픈하여 문제를 해결하여야 한다. 그렇지 않으면 동업으로 인해 정말 친했던 동료를 잃게 된다.

동업계약서상에 들어갈 내용
동업 계약서상에 들어갈 내용은 정하기 나름인데 아래에서는 동업 계약을 위해 필요한 규정에 대해서 정리하고자 한다.
1) 서로 간의 권리와 의무
2) 지분비율 산정: 투자금과 현물출자 금액을 가지고 얼마만큼 투자했는지로 결정
3) 손익 분배 비율: 이익이나 손해가 났을 경우 분배하는 규칙을 정하는 것으로서 기준은 지분율, 진료 시간, 공헌도에 따른 인센티브 방식에 따라 결정하는데 이 손익 분배 비율을 제대로 명확하고 공정하게 정하는 것이 가장 중요하다.
4) 직무 분담: 경영 참여와 운영의 문제를 명확하게 명시하여야

한다.

> ex) 재무관리 - 김원장, 마케팅업무 - 박원장, 직원채용.
> 교육 및 관리 - 임원장

5) 상호출자 시 출자금 또는 현물출자 관한 사항

6) 대표자에 대한 규정

7) 겸업 허용 여부

8) 계약의 존속기간 및 존속기간 후 연장에 관한 사항

9) 계약 해지에 대한 사항과 계약 해지 후 원상회복 규정

10) 의료사고가 일어나거나 한 경우 손해배상을 어떻게 할 것인가에 대한 규정

○ 병원 공동자금을 적립 여부

○ 의료사고 시 보험 설정 여부

11) 구성원 탈퇴 공동사업의 폐지

모든 일은 끝이 좋아야 한다. 공동개업도 마찬가지인다. 물론 사이가 안 좋아서 공동개원이 폐지되는 경우가 대부분이지만, 안 좋고 쌓아 두었던 감정이 끝날 때까지 영향을 미치므로 반드시 다음과 같은 사항을 정해 놓아야 한다.

○ 병원에 남을 원장님은 누구인지

○ 갑작스러운 사고나 죽음으로 인해 동업자가 업무수행 어려운 경우 대처 문제

○ 공동사업이 폐지되거나 구성원이 탈퇴하고 기간이 지난 후에 세무조사가 나온 경우 책임 문제

○ 구성원이 나가거나 공동사업 폐지할 때 손익 분배를 위한 병원 평가 방법

지금까지 경험에 의하면 대부분의 원장님들이 동업을 하면서 여러 가지 신경 쓸 일들이 많다 보니 인터넷에 돌아다니는 동업계약서를 사용하는 경우가 많이 있는데, 반드시 동업계약서는 동업하는 원장님과 함께 심혈을 기울여 만들어야 한다.

이렇게 작성된 동업계약서는 법적인 인정을 받기 위해서 공증사무실에 공증을 받는 것도 하나의 좋은 방법이다.

(2) 공동개업 시 차입한 대출이자 경비 처리

1) 공동사업과 관련해서 차입한 비용

공동사업을 하면서 필요한 기계의 구입이라던가, 임대보증금 등 사업과 관련된 고정자산 등을 구입하기 위해 은행으로부터 대출을 받는 이자비용은 소득세법상 이자비용으로 경비로 인정받을 수 있다.

2) 공동사업 출자금에 대한 대출이자 비용

세무서에서는 출자금은 자본금 성격으로 보아서 이에 대한 이자 비용은 비용으로 보지 않는다. 따라서, 동업계약서상에 출자

금은 최소로 하고, 사업 개시 후 사업에 필요한 자금을 대출하여 공동사업에 사용하여야 한다. 또한 출자금과 차입 규모는 지분비율과 일치시키는 것이 좋으며 향후 차입금의 원금 상환 일정 계획도 동일하게 하는 것이 좋다.

(3) 동업 의사 영입 및 탈퇴 시

1) 동업 의사 신규 영입

동업 의사를 신규로 영입하면 다음과 같은 절차에 따라 진행한다.

① 신규 영입 시 병원 기존 동업자들과 운영 방안과 가치관이 맞는 사람인지 반드시 확인

② 병원의 자산가치를 종합적으로 평가(영업권)해서 신규구성원이 부담할 대가 산정

③ 관할 보건소 신고

④ 관할세무서 사업자등록증 정정 신고

> **필요 서류**
>
> (ㄱ) 사업자등록증 정정신고서 (ㄴ) 새로운 동업계약서 (ㄷ) 대표자 전원 인감증명서 (ㄹ) 사업자등록증 사본 (ㅁ) 대표자 전원 신분증 사본 (ㅂ) 위임장(대표공동사업자 1인만)

방문 시)

○ 새로운 동업계약서상에 손익 분배 비율과 인적 사항을 명시 후 동업자 전원의 인감을 날인하여야 함.

○ 병원의 자산 평가 시 영업권이 시가와 차이가 나는 경우 증여 문제가 발생할 수 있으므로 반드시 적정 대가를 산출해야 하므로 전문가와 상담하여야 함.

2) 동업 의사 탈퇴 시

동업을 해지하는 경우에는 두 가지 방법이 있는데 다음과 같다.

---

① 제3자에게 지분을 양도

② 기존 동업자로부터 지분대가 반환

동업을 해지할 때는 제3자에게 지분 양도제한, 구성원 중에 남는 사람을 결정, 지분 대가를 받는 방법, 지분 대가를 평가하기 위한 방법 등을 처음 시작할 때의 동업계약서 상에 따라서 이행하여야 한다.

여기에서 가장 중요한 것은 아무리 상대방과 오해와 불만이 쌓였더라도 서로 한 걸음씩만 양보하여 법정 다툼까지 가지 않는 것이 가장 좋다.

(4) 공동개원 vs 페이닥터

일반적으로 부부의사인 경우 이런 고민을 하는 원장님들이 많이 있다. 과연 부부가 공동사업자로 하는 것이 나은지 아니면 페이닥터로서 일하는 것이 좋은지를 고민하는 것이다.

이는 매우 복합적인 것을 고려해야 하기 때문에 무엇이 유리하다고 단정 지을 수는 없다. 이유는 세율 면에서는 공동사업자로 하는 것이 유리한데, 4대 보험까지 생각한다면 페이닥터로 하는 것이 나을 수 있기 때문이다. 또한 소득 규모와 병원의 이익률과 근로소득으로 반영했을 때 낮출 수 있는 이익률의 정도에 따라 판단이 달라지므로 반드시 세무 전문가와 상의 후에 결정하여야 한다.

02. MSO 법인

(1) MSO 법인의 의의

MSO 법인은 Management Service Organization의 약자로서 의료업무와 행정업무를 분리하여 본연의 의료행위에 집중하고 행정 관련된 업무는 분리하여 의사는 환자치료에 전담하고 치료 외에 행정업무 및 마케팅 업무는 전문적으로 맡김으로써 병의원의 효율성을 높이기 위한 병원의 경영을 지원하는 회사를 말한다.

(2) MSO 법인의 병의원 행정업무

MSO 법인이 할 수 있는 병의원 행정업무는 다음과 같다

① 의약품 및 소모품비 구매 관련 업무

② 직원 채용 및 인사관리

③ 건강보험 청구 및 심사평가원 업무

④ 홈페이지 및 인터넷 광고를 통한 마케팅

⑤ 회계 및 세무

⑥ 자금관리 및 운영

⑦ 병원 외 수입(주차장 수입, 상가임대 수입, 건강기능식품 등 판매 수입)

⑧ 상표권 및 특허권 출원 관련 업무

⑨ 그외 기타 치료가 아닌 병원 관련 제반 업무

(3) MSO 법인의 목적사업 종류

MSO 법인이 영위할 수 있는 업종은 정관에 목적사업으로 포함되어야 하고 법인등기부등본상에 기재되어 있어야 한다.
업종을 추가하려면 반드시 목적사업으로 포함되어 있어야 하고 등기부등본 기재 사항을 변경해야 한다. 따라서 변경하게 되면 비용이 들 수 있으니 될 수 있으면 많은 업종을 포함해 놓는 게 좋다.

(4) MSO 법인의 목적사업

MSO 법인은 다음과 같은 다양한 목적사업을 할 수 있으므로,

MSO 법인을 활용하여 여러 가지 업무를 할 수 있다.

산후조리업, 피부관리업, 건강기능식품제조업, 건강기능식품 도소매업, 휴게음식점업, 일반음식점, 자동판매기업, 장례식장의 설치 및 운영, 의약품 도·소매업, 숙박업, 여행업 및 외국인 환자 유치업, 의료관광 호텔업, 장애인 보조기구의 제조, 개조 수리업, 의료기기 임대업, 의료기기판매업, 의료경영컨설팅업, 인력공급업, 부동산에 대한 투자, 관리 및 매매업, 부동산 임대업, 주차장 운영 및 관리업, 마케팅업, 광고대행업, 인터넷을 통한 광고업, 소프트웨어 개발 및 공급업, 인터넷 교육사업, 강의 및 교육 관련 서비스업, 상표권 등 무형자산 임대 및 위탁관리업, 바이오 제약 연구개발 영상 제조 유통 판매 사업 및 관련 컨설팅업, 세포 유전자치료제 유통 사업 및 판매업

(5) MSO 법인의 운영 목적
1) 타 회사 수익을 MSO 법인의 수익으로
타 회사에 구매했던 의약품이나 의료기기 등을 직접 MSO 법인을 통해서 구입할 수 있으며, 인력공급업(의료인력 인력공급업 제외)을 운영하여 다른 인력공급업체가 아닌 병원 원장님이 만든 MSO 법인에 수익을 발생시킬 수 있다.
병원에서 필요한 부대비용을 MSO 법인으로 돌림으로서 법인주주의 부가 증가하며 병의원 입장에서는 합리적인 가격의 지출과 적격증빙 수취를 통해 절세에도 도움이 될 수 있다. 다만, MSO

법인의 주주는 원장님, 배우자, 자녀들이므로 특수관계법인과의 거래로서, 적정한 매입 가격과 이윤을 붙여서 거래해야 추후에 세무조사 시 문제가 발생되지 않는다. 따라서 MSO 법인을 설립 시에는 반드시 전문가와 상의하여 적정 매입 가격을 정하고 그에 따라 거래하여야 한다.

2) 병원의 종합소득을 분산시키는 효과

병의원 원장님들은 소득률이 매우 높다. 예를 들어 원장님이 부동산 임대소득이 있는 경우 병원 사업소득과 합쳐져서 높은 세율을 적용받는다. 따라서, 이러한 소득을 MSO 법인이 가져가게 되면, 원장님들은 종합소득세 합산과세가 되지 않는 장점이 있다. 아래 법인세율과 소득세율을 참고 하기 바란다.

개인			법인	
과세표준 (총수입-총비용-소득 공제 등)	세율		과세표준 (총수입-총비용)	세율
1400만 원 이하	6%		2억이하	9%
1400만 원 초과 5000만 원 이하	15%			
5000만 원 초과 8800만 원 이하	24%			
8800만 원 초과 1억5천만 원 이하	35%	VS		
1억5천만 원 초과 3억 원 이하	38%		2억초과 200억 원 이하	19%
3억 원 초과 5억 원 이하	40%			
5억 원 초과 10억 원 이하	42%			
10억 원 초과	45%			

3) 네트워크 병원 관리

네트워크 병원은 원장님들이 다 알다시피 다른 지역에 같은 이름을 쓰고 주요 진료 기술, 마케팅 등을 공유하는 병원을 통칭한다. 이러한 병원 운영의 효율성을 위해서는 반드시 운영이 분리되어 있어야 한다.

4) 원장님의 재산 증식 및 자녀에게 부의 이전

다음 목차에서 자세하게 설명하겠지만, MSO 법인을 통해 재산을 증식하고 그에 대한 재산을 자녀에게 이전시키는 수단으로 사용할 수 있다. 사람은 죽어도 법인은 영속한다. 이러한 법인을 통해 재산을 주식으로 이전시키는 방법으로 자녀 및 후손들에게 부를 이전시킬 수 있다.

(6) MSO 법인을 통한 자녀재산 증식 및 이전

1) MSO 법인의 주주 구성 방법

주주는 법인의 주인으로서 법인의 수익을 배당이라는 방법으로 자신의 몫을 찾아갈 수 있다. MSO 법인을 설립 시 자본금을 얼마로 설정하느냐에 따라 배우자 및 자녀에게 줄 수 있는 금액을 정하여야 한다. 원장님과 배우자는 아주 적은 비율로 주식을 가지고 가고 자녀를 대주주로 만들어서 추후에 자녀에게 배당수익을 많이 가져갈 수 있게 하는 것이 좋은 방법이다.
자녀에게는 자본금 출자는 원장님들이 증여를 통해 하면 된다. 자녀가 미성년자이면 2천만 원 성인이면 5천만 원까지 줄 수 있다. 단, 10년 내에 증여한 것이 없어야 증여세 없이 증여가 가능하다.

예를 들어 자녀가 2명 배우자 1명이라면 자본금을 5천만 원으로 설정 시 자녀1에게 2,000만 원 40% 자녀2에게는 1,900만 원 38% 나머지 배우자에게 11% 550만 원 원장님 11% 550만 원으로 설정하면 된다. 이는 어디까지나 예시이므로 참고만 하면 되고, 여기에서 핵심은 자녀가 대주주가 되는 것과 자녀 2명이라면 똑같은 비율로 나눠주는 것이 아닌 약간의 차이를 줘서 지분율을 다르게 주는 것이다. 아무래도 우리나라 문화 및 정서상 둘째보다 첫째에게 조금 더 주는 것이 자연스럽다. 이는 추후에 의사결정 시 분쟁을 예방하고 형제자매간에 우애가 금 가는 것을 방지하기 위한 최소한의 안전장치이다. 가끔 드라마나 영화에서 보듯이 경영권 분쟁이 소규모 법인이라고 일어나지 않을 거라는 보장은 없기 때문에 이러한 점을 고려하여 설계하여야 한다.

참고로 주의 사항은 반드시 자녀에게 주식을 증여하고 증여세를 신고하여야 한다. 위에 예시처럼 증여재산공제 한도 내에서 증여하고 증여세를 신고하지 않아도 가산세나 증여세는 없지만 추후에 원장님 명의의 주식을 신탁한 것으로 의제 되어, 불필요한 소명이나 세무조사를 받을 수 있다. 따라서 반드시 자녀에게 증여 시 증여세를 세무 전문가의 조력을 받아서 신고하길 권장한다.

자녀가 이렇게 대주주가 되면 추후에 상가 부동산을 법인의 대출과 부모의 차입금으로 취득하여 얻는 임대 수입은 자녀에게 배당으로 줄 수 있으며, 추후에 매매를 통한 매매차익도 자녀 지분 비율대로 귀속될 수 있다. 다음 목차에서는 이러한 수익형 상가 부동산을 취득하는 방식에 대해서 알아보기로 한다.

2) MSO 법인의 상가 부동산 취득 방법 및 의료관광호텔업 등록

법인 대출과 원장님 개인 자금을 MSO 법인에 빌려줌으로써 수익형 상가를 취득할 수 있다. MSO 법인은 수익을 통해 법인 대출과 이자를 상환하게 되면 최종적으로 원장님 개인 자금이 남게 되는데 이는 수익을 통해 갚아도 되고 갚다가 못 갚으면 미래에 상속을 통해 상속공제를 받는 방법도 있다. 현재 세법상 원장님이 빌려줄 수 있는 자금은 20억 원이다. 따라서, 자금 규모 및 대출받아서 구입할 수 있는 상가의 가격 결정 등 상세한 부분은 세무 전문가와 상담을 통해 결정하는 것이 좋다.

또한 MSO 법인을 통한 의료관광호텔업 등록 기준을 충족 시 의료관광호텔업도 영위할 수 있으니 이 부분에 관심이 있으신 원장님들을 위해 등록 기준은 다음과 같다.

(7) MSO 법인의 의료관광호텔업 등록 기준

관광진흥법 시행령 제5조(등록 기준)에 의료관광호텔업 등록 기준이 규정되어 있으며 내용은 다음과 같다.

① 의료관광객이 이용할 수 있는 취사 시설이 객실별로 설치되어 있거나 층별로 공동취사장이 설치되어 있을 것
② 욕실이나 샤워 시설을 갖춘 객실이 20실 이상일 것
③ 객실별 면적이 19㎡ 이상일 것
④ 「교육환경 보호에 관한 법률」제9조 제13호·제22호·제23호

및 제26호에 따른 영업이 이루어지는 시설을 부대시설로 두지 않을 것

⑤ 의료관광객의 출입이 편리한 체계를 갖추고 있을 것

⑥ 외국어 구사 인력 고용 등 외국인에게 서비스를 제공할 수 있는 체제를 갖추고 있을 것

⑦ 의료관광호텔 시설(의료관광호텔의 부대 시설로 의료기관을 설치할 경우에는 그 의료기관을 제외한 시설을 말한다)은 의료기관 시설과 분리될 것. 이 경우 분리에 관하여 필요한 사항은 문화체육관광부 장관이 정하여 고시한다.

⑧ 대지 및 건물의 소유권 또는 사용권을 확보하고 있을 것

⑨ 의료관광호텔업을 등록하려는 자가 다음의 구분에 따른 요건을 충족하는 외국인 환자 유치 의료기관의 개설자 또는 유치업자일 것

가. 외국인 환자 유치의료기관의 개설자

　1)「의료 해외 진출 및 외국인 환자 유치 지원에 관한 법률」제11조에 따라 보건복지부 장관에게 보고한 사업실적에 근거하여 산정할 경우 전년도(등록신청일이 속한 연도의 전년도를 말한다)의 연 환자 수(외국인 환자 유치의료기관이 2개 이상인 경우에는 각 외국인 환자 유치의료기관의 연 환자 수를 합산한 결과를 말한다) 또는 등록신청일 기준으로 전년 1년간의 연 환자 수가 500명을 초과할 것. 다만 외국인 환자 유치의료기관 중 1개 이상이 서울특별시에 있는 경우에는 연 환자 수가 3,000명을 초과하여야 한다.

2) 의료법인인 경우에는 1)의 요건을 충족하면서 다른 외국인 환자 유치 의료기관의 개설자 또는 유치업자와 공동으로 등록하지 아니할 것

3) 외국인 환자 유치 의료기관의 개설자 설립을 위한 출연재산의 30% 이상을 출연한 경우로서 최다출연자가 되는 비영리법인(외국인 환자 유치 의료기관의 개설자인 경우로 한정한다) 이 1)의 기준을 충족하지 아니하는 경우에는 그 최대 출연자인 외국인 환자 유치의료기관의 개설자가 1)의 기준을 충족할 것

나. 유치업자

1) 「의료 해외 진출 및 외국인 환자 유치 지원에 관한 법률」 제11조에 따라 보건복지부 장관에게 보고한 사업실적에 근거하여 산정할 경우 전년도의 실 환자 수(둘 이상의 유치업자가 공동으로 등록하는 경우에는 실 환자 수를 합산한 결과를 말한다. 이하 같다) 또는 등록신청일 기준으로 직전 1년간의 실 환자 수가 200명을 초과할 것

2) 외국인 환자 유치의료기관의 개설자가 30% 이상의 지분 또는 주식을 보유하면서 최대 출자자가 되는 법인(유치업자인 경우로 한정한다)이 1)의 기준을 충족하지 아니하는 경우에는 그 최대 출자자인 외국인 환자 유치의료기관의 개설자가 (가)1)의 기준을 충족할 것

(8) MSO 법인 운영 실익

MSO 법인은 행정인력과 경영관리 인력이 필요하므로, 규모가 큰 병원은 인력을 구성하여 MSO 법인을 활용하는 것이 효율적이나, 소규모로 운영되는 의원급 의료기관은 운영의 실익을 잘 판단하여 설립하여야 한다.

다음은 운영 실익이 있는 병의원이다.

① 부설주차장 수입이 있는 병의원
② 마케팅 비용(광고선전비용)이 비중이 높은 병의원
③ 이미 수익형 부동산을 보유하고 있는 법인을 MSO 법인으로 활용 가능
(이러한 경우 이미 원장님이 주식을 대부분 갖고 있는 경우가 대부분이므로 적절한 시기에 자녀에게 주식 이전을 통한 부의 이전이 핵심임 이에 대해서는 세무 전문가와 상담 요망)
④ 상가취득계획이 있어 MSO 법인을 설립하여 자녀를 대주주로 하여 부의 이전을 계획하는 경우
⑤ 의료인력이 아닌 보조 인력을 MSO 법인에 위탁하려는 경우
⑥ 병의원 내외부에 자판기 수입이 발생하는 경우
⑦ 시술이나 수술 과정에서 의약품과 의료기기를 소비하는 전공(치과, 성형외과, 정형외과, 피부과 등)
⑧ 복수전공으로 구성된 병원이 여러 의약품과 소모품, 재료비, 의료기기를 취급하는 경우

03. 재가급여 중 방문간호 서비스 제공

우리나라는 현재 급격한 초고령화 사회로 진입하여 현재 가구 당 노인인구는 점차 지속적으로 증가하는 추세이다. 의사 또한 의대의 인기 등으로 인하여 갈수록 병의원의 경쟁이 치열해지고 있다. 따라서, 예전에는 드물었던 병의원 폐업이 증가하는 추세인데, 이러한 상황에서는 새로운 분야를 개척하고 빠르게 진출하여 남보다 앞서가는 전략이 필요하다. 이 새로운 분야는 바로 장기요양기관이라는 제도를 활용하는 것을 말한다.

장기요양기관이란, [노인장기요양보험법] 제 31조(장기요양기관의 지정) 및 제32조 4(장기요양기관 지정의 갱신)에 따른 지정 또는 지정의 갱신받은 기관으로서 장기 요양급여(재가급여, 시설급여)를 제공하는 기관을 말한다.

장기요양기관의 종류는 시설급여를 제공하는 기관과 재가급여를 제공하는 기관이 있다.

○ 시설급여
복지 고령이나 노인성 질환으로 인하여 일상생활을 하기 어려운 노인에게 판정 등급에 따라 요양 시설에서 간호, 목욕, 일상생활 지원 등의 서비스를 제공하는 급여를 말한다.

○ 재가급여

복지 재가 노인에게 장기 요양 보험에서 방문 요양, 방문 목욕, 방문간호, 주야간 보호 따위를 제공해 주는 서비스 형태의 급여를 말한다.

여기에서 병의원이 경쟁력 있는 부분은 재가급여 중 방문간호라고 할 수 있는데, 방문간호는 의사, 한의사, 또는 치과의사의 지시에 따라 간호사, 간호조무사 또는 치위생사가 수급자의 가정을 방문하여 간호, 진료의 보조, 요양에 관한 상담 또는 구강위생 등을 제공하는 급여를 말한다.

방문간호 서비스를 받을 수 있는 대상은 65세 이상 노인 또는 65세 미만 노인성 질환으로 노인장기요양보험의 등급판정을 받은 사람으로서 간호, 진료 보조, 운동 서비스가 필요한 분을 말한다. 방문간호 급여비용은 다음과 같이 책정되어 있다.

분류	급여비용(본인부담금 15%포함)
15분 이상 30분 미만	40,760
30분 이상 60분 미만	51,110
60분 이상	61,490

등급별 재가급여 월 한도액(단위: 원)

등급	월 한도액
1등급	2,069,900
2등급	1,869,600
3등급	1,455,800
4등급	1,341,800
5등급	1,151,600
인지 지원 등급	643,700

월 이용한도액(공단부담 85% + 본인 부담 15%)은 장기 요양 등급별로 지급하는 금액이며, 한도액을 초과 시 100% 본인부담임.

이는 병원이 가지고 있는 환자의 정보를 이용하여 방문간호 서비스를 제공하는 것인데, 동네에 있는 노인분들이 대부분 동네 병원을 이용한다는 점, 병원에서 봤던 익숙하고 친절한 간호사가 방문해서 간호 및 운동 서비스 등을 제공한다는 점 등은 매우 유리하게 작용할 수 있다고 보인다.

04. 데이터를 통한 차별화된 환자 관리

병원에는 방문한 환자의 데이터가 계속 누적적으로 쌓여져 있다. 필자도 병원을 이용해 보면 환자 수가 많기 때문에 의사분들이 꼭 필요한 말만 하고 바로 다음 환자를 보는 경향이 있다. 원래 사람들은 자신을 기억해 주는 사람에게 굉장히 고마움과

특별한 감정을 느낀다. 환자의 데이터를 보고 질병에 관한 사항을 최대한 쉽게 설명하면서 재발하지 않도록 따뜻한 말 한마디는 사람을 감동시킨다. 또한 그러한 데이터를 이용해서 이 환자가 매년 언제쯤 방문했고 어떤 질환으로 왔는지에 따라 환자를 분류하여 그 환자에게 메시지로 '이때쯤 이런 질병으로 오셨는데 이러한 질병으로 병원을 방문하지 않으시려면 어떠한 점을 주의하셔야 한다.'하고 메시지에 보내면 환자는 매우 감동할 것이다. 경쟁이 치열한 시대 이제 원장님이 병원에 앉아 있다고 환자가 스스로 오지 않는 시대가 왔다. 진료를 잘 보는 것도 매우 중요하지만, 이러한 마케팅도 병의원 원장님들도 반드시 해야 한다고 생각한다. 다만, 주의점은 형식적인 문구가 아닌 진심으로 세세한 분류를 통해 상업적으로 보낸 게 아닌 환자를 진심으로 걱정하는 문구로 최대한 신중히 보내야 한다. 명절에도 지인들에게 오는 스팸 문자들 그것을 보고 아무도 감동하는 사람이 없듯이 이 부분에 대해서 굉장히 고민해서 문구를 써야 한다. 하나의 방법은 환자의 이름을 한명 씩 넣고(자동으로 넣어주는 프로그램이 있다) 그 환자에게 진심을 다해 내용을 고민해서 보내야 한다. 원장님 스스로 시간이 부족하다면 간호사들에게 시키고 친절도를 분석하여 포상을 하는 방법도 좋다. 요즘은 실력이 있는 것은 기본으로 하고, 이러한 부분까지 충족한다면 이에 만족한 환자들이 주변에 같은 질환으로 고생하는 환자들에게 홍보하는 효과가 생기게 되고 이는 결과적으로 병원의 수입을 올려주는 원인이 될 것이라고 본다.

위에 사례는 하나의 예를 들어서 설명한 것이다. 이 책을 읽는 원장님들은 이미 이런 방식을 쓰고 있을 거라 생각된다. 따라서, 위에 예시뿐만 아니라, 병원에 전자적으로 쌓여 있는 데이터를 어떻게 활용할지 원장님 스스로 고민하여야 한다. 그도 그럴 것이 병원마다 처한 환경이 틀리고, 경쟁 상황도 틀리기 때문이다. 지금까지 쌓아온 데이터만 잘 활용한다면 일을 더 효율적으로 할 수도 있고 마케팅에도 활용할 수 있기 때문에 데이터를 소중하게 생각하고, 어떻게 사용할지 항상 고민해야 한다.

제**3**장

자산관리 비법

제**3**장 자산관리 비법

자산관리 방법을 써놓은 책은 서점에 어마어마하게 많다. 그러나 그건 다 아껴서 안 쓰는 방법을 적어 놓은 책이다. 그렇다면 아껴서 이렇게 재산을 모은다면 그 재산은 어떻게 될까? 예를 한번 들어보자, 김원장님은 내과의사 원장님이다. 이미 병원 진료 및 마케팅을 잘해서 병원 고객도 많다. 연 수입이 많이 늘자 김원장님은 본인 명의로 부동산을 여러 채를 차곡차곡 취득한다. 집도 좋은 곳에 사고 결혼해서 아내와 함께 아이들도 2명 낳아 남 부럽지 않게 산다. 김원장님은 웬만하면 아끼려고 한다. 내가 하고 싶은 취미도 여행도 너무 바빠서 잘 가지도 못하고 열심히 산다. 이렇게 해서 모은 재산만 50억이다. 이 50억은 이제 김원장이 나이가 많이 들고 연약해지니 고민이 많다. 상속세가 이번에 개정 예정이어서 많이 줄었다고 하더라도 수억 원의 상속세를 내야하고, 더 큰 문제는 자식들이 내 재산을 가지고 싸우지 않을까 하는 고민을 한다. 실제로 필자가 상속세를 신고하기 위해 상담해 보면 많은 분들이 상속재산을 가지고 형제들끼리 다툼하는 경우가 비일비재하다.

이렇게 분쟁의 씨앗을 남기기보다는 필자는 어느 정도 재산이 모이면 젊었을 때 하고 싶은 거 다하고 그래도 돈이 남으면 기부도 해서 본인 재산은 될 수 있으면 다 쓰고 떠나라고 말하고 싶다. 대부분은 그래도 "자식들한테 남겨두고 가면 좋지"라고 생각하는 분들이 있는데, 수백억을 남겨주지 않을 거면 본인이 하고 싶은 데로 하고, 할거 다해보면서 후회 없이 인생을 즐기는 것이 좋다고 생각한다. 즉, 애매하게 남겨주는 재산은 자식들에게 분쟁의 씨앗만 남길 뿐이다. 물론 다 그런 건 아니다.

원장님들이 더 잘 아시겠지만 노후를 아예 준비하지 않은 채 막 쓰라는 의미는 아니다. 충분히 노후 자금을 마련하고, 어느 정도 재산을 모은 다음을 이야기하는 것이다.

극단적인 예를 들어, 빚만 남기고 간 경우는 어떻게 될까? 가끔 드라마를 보면 할아버지가 돌아가셨는데 아버지와 형제분들이 상속포기하여, 그 빚을 손자녀가 떠안아서 힘들게 일하면서 빚을 갚는 것을 종종 볼 수 있다. 드라마에서는 주인공의 딱한 처지에 몰입하기 위해서 그렇다고 하지만 현실에서도 그럴까?

이는 다음과 같이 법원에 상속포기를 하면 피해 갈 수 있다.

상속개시가 있음을 안 날로부터 3개월 이내에 고인의 재산과 빚을 물려받지 않겠다고 법원에 상속포기를 신고하는 경우, 빚을 물려받지 않는다. 다만, 이 상속포기는 법적 특성상, 자기 세대에서 포기를 하면 다음 세대로 넘어가는데 이렇게 부모의 빚을 대물림 시키지 않기 위해서는 자녀 한 명을 빼고 상속포기를 하고 자녀 중 한 명이 한정승인을 하게 되면, 손자녀들에게 할아버지의 빚은 대물림되지 않는다. 더 나아가 최근 판례에서 부모가 상속 포기하면 자녀들도 상속 포기한 것으로 본다는 판결이 내려졌다.

필자가 설명하고 싶은 것은 빚을 지고 가도 대물림되지 않을 방법이 있다는 것이다. 그냥 쓰다가 대출이 있는 상태에 사망해도 대출은 갚지 않아도 된다. 그렇다고 절대로 대출을 무분별하게 사용하라는 의미는 아니다. 차라리 채무가 있다면 자녀들의 분쟁은 없을 것이다. 필자가 반드시 이야기하고 싶은 것은 절대로 자녀들끼리 분쟁이 있으면 안 된다는 것이다. 분쟁은 서로 간의 가족을 분열시켜 놓는 최악의 상황이다. 어떤 부모가 자식들 간의 분쟁이 있기를 바랄까? 대한민국에 있는 부모 100이면 100 아무도 없을 것이다.

필자의 결론은 자녀들 간의 분쟁이 없게 하려면 상속세가 나오지 않는 범위에서 재산을 물려주고 정확히 자녀들에게 1/n로 줘야 한다고 생각한다.

TIP.

2025년에 개정 세법(예정)에 의하면 배우자가 살아있고 자녀가 2명 있으면 상속세가 안 나오는 공제 범위는 배우자공제 5억+ 자녀 공제 10억(2명 X 5억) + 기초공제 2억 = 총 17억이다. 즉, 17억까지 상속세가 전혀 나오지 않는다. 이 범위에서 자산을 물려주면 상속세는 0원이다.

그래도 이 글을 읽는 원장님들 중 "그래도 자식들한테 남겨주고 가는 게 낫지.."하는 분이 반드시 계실 것이다. 그에 대한 대안 및 자산관리법을 설명하고자 한다.

01. 반드시 의사결정 전에 전문가와 상의하고 상속·증여를 미리미리 준비하라.

이 부분은 거의 대다수의 분들이 전문가 활용을 잘 못하신다. 대부분 부동산을 사거나 팔 때, 공인중개사를 끼고 하는데, 이분들에게 세법 지식을 물어보거나 아니면 친한 지인분의 이야기를 듣고 의사결정을 한다. 추후에 세무적인 문제가 터졌을 경우, 공인중개사나 지인은 그럴 줄 몰랐다고 하며 한발 물러서게 되면 모든 책임은 본인이 지게 된다.

다음은 필자의 실제 사례이다. 고객 중에 한 분이 급하게 상담을 잡고 오셨다. 어머니가 돌아가시고 형제들이 서울에 있는 집 한 채를 분배하기로 했는데, 형제 중 한 명이 집을 우선 상속으로 받아서 등기하고, 집을 부동산에 내놔서 바로 매도 돼서 형제들끼리 자금을 나눠 가졌다고 하였다. 그리고 필자에게는 그러한 의사결정을 하고 난 뒤 와서 상속세를 신고한다고 하였는데, 이는 상속세만 내면 될 게 아니고 증여세의 문제까지 발생하는 것이다.

우리나라 세법은 부모가 돌아가시면서 상속을 하는 경우 상속세를 한번 내고 끝나지만, 위와 같은 경우에는 부모가 한 자녀에게 줄 때 상속이 이루어졌고, 이것을 한 자녀가 받아서 팔고 다른 자녀에게 현금을 준 것은 증여에 해당 된다. 따라서, 상속세도 내야하고 증여세도 내야 하는 난처한 상황이 발생하게 되었다. 물론 위의 경우에는 상속이 된 지 6개월 안쪽이고 집을 산 매수인이 아직 등기 전이어서 바로잡을 수 있지만, 시기를 조금만 놓쳤다면, 상속세 한 번만 내면 될 것을 증여세까지 이중으로 납부해야 하는 아찔한 상황이었다. 이러한 의사결정을 혼자 하지 말고 반드시 전문가를 찾아가서 일정 부분의 수수료를 부담하고 상담을 받는 것을 추천한다.

다른 예는 상속·증여 설계 제도를 잘 활용하는 사람들이다.

다음 장에서 설명하겠지만, 필자는 크몽에서 상속·증여 설계를 해주고 있다. 이는 아직 발생되진 않았지만, 미래를 미리 예측하여 지금 현재 대비책을 마련함으로써 적게는 수천만 원에서 수억 원의 세금을 절감할 수 있도록 도와주는 서비스이다. 물론 의사결정을 하는 것은 본인의 판단이다. 현재 부모님이나 나의 자산 상태를 정확히 파악하여 자산별로 적절한 조치를 취하는 것이, 미래의 세금을 절세하는 지름길임을 명심하여야 한다.

02 상속·증여 설계

아래는 필자가 제공하는 상속·증여 설계 서비스이다. 서비스를 받은 대부분의 의뢰인분들이 100% 만족하셨다. 특히 부모님 상속 관련해서 상속세를 적게 나오게 하려면 반드시 이러한 설계가 필요하다.

쑥*****
★ ★ ★ ★ ★ 5.0 | 24.03.04 15:01

양도세 관련해서 문의를 드렸는데 사기 일처럼 세세하게 많이 알아봐 주셔서 궁금증이 완벽하게 해소됐습니다. 컨설팅 또한 너무 완벽하게 해주셔서 모든 걱정이 해소됐네요~! 앞으로 세무 관련 문의 사항이 있을 때 항상 임동훈 세무사님에게 연락해야 될 것 같아요~! 귀찮더라도 잘 부탁드립니다~! 늦었지만 새해 복 많이 받으세요~ 좋은 분이라 앞으로 좋은 일만 가득할 것 같아요~!^^

작업일: 3일 | 주문 금액: 5만원 - 10만원

임동훈세무사 | 24.03.04 15:08

상담이 도움이 되셨다니 정말 감사합니다~!

알*****
★ ★ ★ ★ ★ 5.0 | 24.02.02 14:09

임동훈 세무사님의 세무 서비스는 매우 훌륭하며, 작업 결과물이 매우 좋을 뿐만 아니라 계속 되는 자세한 feedback, 친절한 상담을 해주시는 등, 매우 만족스러운 세무 서비스였습니다. 세무 (세금) 문제로 고민하시는 분들에게는 최고의 choice 가 될 것입니다.

작업일: 68일 | 주문 금액: 40만원 - 50만원

임동훈세무사 | 24.02.20 16:58

만족하셨다니 너무 감사드립니다. 앞으로 하시는 일 번창하시길 빌겠습니다. 감사합니다~!

K11***** ★★★★★ 5.0 | 23.04.18 10:02

세무사님 사진에 인상이 참 좋으시고 상속증여 전문으로 소개되어서 상담하게 되었는데 처음에는 이름만세무사고 다른 분이 상담하는 것 아닌가라고 생각도 했었는데 세세하게 질문하는 내용 다 답변해주시고 상속으로 아니면 증여로 할지 세세하게 방향 잡아주셔서 감사했어요 그리고 질문하면 즉시로 답변해주시니까 너무 좋았습니다.

작업일: 16일 | 주문 금액: 20만원 - 30만원

임동훈세무사 | 23.04.18 13:31

서비스에 만족하셨다니 저도 너무 기쁩니다. 계획을 잘 이행하셔서 절세하실수 있도록 항상 응원드리겠습니다. 감사합니다.

집***** ★★★★★ 5.0 | 22.12.19 13:46

세무사님 너무친절하시고 꼼꼼히 설명해주셔서 감사 합니다. 제속이 시원 후련하네요. 다음에도 증여세관련문의가 있을시에는 세무사님한테만 상담받을것같습니다. 꼼꼼한 설계와 설명해주셔서 다시한번 감사드립니다.

작업일: 10일 | 주문 금액: 20만원 - 30만원

임동훈세무사 | 22.12.19 19:59

도움이 되셨다니 저도 좋습니다. 언제든지 필요하신게 있으시면 연락주세요^^

　　상속증여 설계 서비스를 받으면 우선 직접 나오거나 전화나 줌으로 인터뷰하고 보고서를 만드는 단계에 착수한다. 보고서를 만들고 직접 브리핑 후, 고객이 원하는 선에서 3번까지 수정 및 보완을 해준다. 보고서는 고객 맞춤형 서비스로서 현재 대부분 세무 전문가가 이러한 보고서로 서비스를 해주는 곳은 매우 드물다. 세무사를 찾아 약속을 잡고 방문하면 세무사들은 종이 한 장을 꺼내 말로 설명해 준다. 자세하게 '무엇을 해라'가 아닌 포괄적으로 어떻게 했으면 좋겠다고 하는데 이는 실질적으로 조금 도움이 될 수 있지만, 큰 도움은 되지 못한다. 정확한 현재의 자산 상태를 파악하고 그에 대한 미래 솔루션을 제공하는 필자의 서비스는 매우 차별된다고 생각한다.

상속·증여 서비스를 받으면 실제로 수억 원의 세금을 절감할 수 있다. 예를 들어, 지가가 상승하는 부동산의 경우 사전증여를 받아서 지가 상승을 증여 당시의 가액으로 고정시키고, 추후에 상속이 이루어지는 경우 상속세를 절감할 수 있는 방향으로 가도록 상속설계를 해준다. 이러한 부분 말고도 다양한 설계 방법이 있지만 한정된 지면상 설명하기가 어렵다. 다시 한번 강조하지만, 현재 상황에서 미리미리 상속 및 증여를 설계하는 것이 좋다.

절세는 사건이 일어나고 준비하는 것이 아닌 사건이 일어나기 전에 미리미리 대비하는 사람에게 주어지는 기회이다. 이미 사건이 일어나고 무언가를 되돌리기는 결코 쉽지 않으므로 독자들은 이점을 명심하길 당부드린다.

[상속·증여세 절세전략 보고서 예시]

03 가족법인 설립

요즘 가족법인이란 절세 방법이 유튜브나 세무사들 사이에서 핫하다. 이 책을 읽으시는 원장님들은 가족법인에 대해서 한번 쯤 들어보셨을 것이다. 왜 이토록 가족법인을 하라고 하는지 이유를 알아보도록 하자.

1) 가족법인의 의의 및 기관

가족법인은 법률상 용어는 아니다. 이는 주주가 가족인 것을 말하며, 현재 우리나라에 있는 대부분의 법인이 실제로 가족법인이다. 즉, 새로 생겨난 개념이 아니라는 것이다. 가족법인의 주주는 원장님, 배우자, 자녀 이렇게 구성된다. 가족법인은 대표이사, 주주, 감사로 구성되는데 주주는 위에서 설명했듯이 가족으로 구성하고 대표이사는 원장님이나 배우자분이 맡을 수 있다, 여기에서 감사는 형식적인 것으로 부모님이나 지인을 세울 수 있다.

2) 가족법인의 설립 이유

가족법인을 설립하는 가장 중요한 이유는 밑에서도 더 자세하게 설명하겠지만, 첫째, 분쟁을 최소화시키는 도구로서 의사결정 구조가 명확하다는 것이다. 둘째, 자식들을 주주로 넣어놓고 부동산을 취득하여 추후에는 부동산의 평가 차익에 대해서 자식들이나 대를 이어 손자녀들에게 지분이라는 수단으로 물려줄 수 있다.

이 두 가지만 이야기해도 사실 가족법인은 엄청난 메리트가 있다. 의사결정 구조가 명확하다는 것은 그만큼 분쟁의 가능성이 줄어든다는 것이다. 간단하게 예를 들면 상담했던 의뢰인 중에 아버지가 돌아가시면서 서울 강남 쪽에 건물을 남기셨는데, 형제 자매가 여럿이 있고 그중 한 명은 해외에서 이민을 가서

오랫동안 한국에 살지 않았다. 이러한 경우 상속 관련 문제는 어떻게 될까? 굉장히 복잡하고 어려워진다. 그 이유는 그 부동산에 대해서 공동으로 소유 지분을 상속받았는데, 한 명이라도 못 팔겠다고 하면 이 부동산은 서울 노른자 땅에서 아무것도 할 수 없는 쓸모없는 땅이 되어버린다. 개인이 가지고 있다가 개인에게 준다면 법적으로 공유의 형태로 가지게 되므로 공유자 중에 한 명이 반대 의사를 표명하면 부동산을 절대로 팔거나 개발할 수 없다.

그러나 법인이 건물을 가지고 있고 그에 대한 지분을 상속받는다면 이야기는 달라진다. 법인의 의사결정은 의결권이라는 주식 수로 이루어지는데, 위와 같이 주식 수로 의사결정을 하게 되면 분쟁이 일어날 여지가 없다. 주식 수 많은 자가 의사결정권자이기 때문이다. 따라서, 자식들에게 주식을 주면서 차등하게 주어 의사결정자를 일원화시키는 것이 중요하다. 그래야 위와 같은 사례처럼 좋은 땅을 못 쓰게 만드는 일은 없을 것이다.

두 번째로 부동산을 구입하여 임대 수입을 얻거나 양도차익을 얻는 경우이다. 처음에 법인을 시작할 때 자본금을 5천만 원으로 시작하게 되면 미성년 자녀들에게 2천만 원까지 증여세가 나오지 않기 때문에 자녀가 2명인 경우 자녀1에게 2천만 원(40%), 자녀2에게 1,900만 원(38%), 부모가 각각 550만 원(각 11% 2명은 22%) 주식을 가지게 되면 자녀가 대주주가 된다.

[자분율 예시]

구분	금액	지분율
원장님	550만 원	11%
배우자	550만 원	11%
자녀1	2천만 원	40%
자녀2	1,900만 원	38%
합계	5천만 원	100%

자녀1 에게 40%를 주는 이유는 추후에 의사결정이 쉽게 되게 하도록 함이다. 주식 비율은 정하기 나름인데 증여세가 나오지 않는 선에서 일반적으로 부모님이 일정 부분을 가지고 자녀에게 더 큰 지분을 주는 것이 추후 상속·증여세를 감소시킬 수 있다. 또한 자식 1명에게 더 많은 지분율을 주어 차등을 두는 이유는 의결권으로서 자녀1이 정하는 데로 의사결정을 일원화할 수 있기 때문이다.

이제 법인이 설립되어 투자의 목적으로 상가건물을 사기 위해서는 다음과 같이 자금을 조달한다. 은행 대출(상가건물 가액의 70%~80% 최하 50%)을 받고 부모가 법인에 20억 원을(법인에 부모가 무이자로 빌려줘도 증여 문제가 발생되지 않음) 빌려주면 서울에 좋은 입지에 수익형 상가를 구입할 수 있다. 이에 대해서 추후 임대소득 및 수년 후에 매도하게 되면 그에 대한 매매차익도 대주주인 자녀들이 배당으로 가져갈 수 있다. 이러한 것을 개인으로 하게 되면 증여세가 엄청나게 과세 될 것이다. 따라서, 법인으로 하게 되면 지분율에 따라 임대료 수입이나 매매차익에 대해서 자녀들에게 자연스럽게 배당할 수 있다.

마지막으로, 인간은 언젠가는 죽고 영원할 수는 없다. 그러나 법인은 해산이나 청산을 하지 않는 이상 연속성이 있다. 따라서, 법인의 지분(주식)을 통해 자녀뿐만 아니고 그 이후 세대인 손자녀에게 간단하게 이전시킬 수 있다. 또한 이러한 방법을 이용하면 부동산 등기부등본도 법인명으로 표시되기 때문에 개인들이 공유를 통해 소유 시 공유자의 이름이 모두 들어가는 등기부보다 굉장히 심플하고 명확하게 표시되므로, 매매 등의 거래가 쉬워진다.

3) 가족법인의 장단점

[장점]

법인 주식의 평가 시 개인 소유 재산보다 평가액이 저평가 되므로 인한 절세효과

상속증여가 이루어지면 재산 가액이 큰 재산은 감정평가를 통해 재산에 시가를 평가하여 세금을 부과하나, 법인의 경우 장부가액과 기준시가 중 큰 금액으로 주식평가를 하게 되어 있으므

로 감정평가액보다는 장부가액과 기준시가가 작으므로 같은 재산을 개인과 법인을 놓고 보았을 때, 무조건 주식평가를 하는 법인이 세금을 적게 낼 수 있다.

유보금의 재투자

예를 들어, 개인의 경우 벌어들인 소득에 최고세율 45% 지방소득세 4.5%를 내면 가처분소득이 없으므로 재투자가 확실히 줄어드는데 비해 법인의 경우 일반적으로 순이익이 2억 이상이면 법인세 19%에 지방소득세 1.9%의 세금을 내고 나머지에 대해서 배당이나 급여로 받지 않고 유보금으로 남겨두어 추후에 재투자를 통해서 법인의 자산가치를 높일 수 있다.

자금조달 용이

개인이 대출을 받을 경우 신용도 및 소득 사용처에 따라서 한도가 제한될 수 있으나, 법인은 시설자금, 운영자금 등의 명목으로 개인보다 대출한도가 클 수 있다.

세무서 증여추정에 대한 방어

개인의 경우 부모와 자식 간에 부동산을 매도하는 경우 국세청에서는 이러한 거래를 증여로 추정한다. 여기에서 증여 추정은 입증을 하지 못하면 증여로 본다는 것이다. 입증은 다음과 같이 세 가지를 하여야 하는데 첫째, 자녀가 번 수입으로 부동산을 매입했다는 것과 둘째, 부모님 계좌로 돈을 송금한 내역을 입증하면 되고 셋째, 돈을 받은 부모님은 부모님 본인을 위해서 사용한 것을 입증하여야 한다. 이렇듯 가족 간 거래는 세무서에서 철저한 세무조사 및 사후관리가 이루어진다. 반면에 부모의 땅이나 부동산을 법인이 취득하는 경우 증여 추정은 이루어지지 않는다. 그 이유는 법인이 손해보는 것에 대해서는 세무서에서 많은 제재를 가하나, 법인이 이득을 보는 경우 세무서에서는 별도의 제재를 하지 않는다. 필자가 생각하기에는 손실이 나면 그만큼 세금이 적어지고 이익이 나면 세금이 많아지기 때문이라고 생각한다.

투자수익률의 극대화

예를 들어, 자녀가 세명인 경우 각자 부동산을 상속이나 증여받아 투자하는 경우 개개인의 능력이 틀리다 보니 1/3씩 나누어 줬다 하더라도 추후의 자산가치는 달라질 수 있다. 예를 들어, 첫째는 투자를 잘하는데 둘째나 셋째는 부동산에 대해서 잘 모르다 보니 투자를 잘하지 못하고 미래에 가서는 첫째의 부동산은 자산가치가 많이 상승하는데 나머지 두 동생의 자산은 잘못된 투자로 인해 손해를 많이 볼 수 있다. 따라서 법인으로 투자를 하게 되면 부동산에 일가견이 있는 첫째가 모든 부동산을 컨트롤 함으로써 법인의 자산가치가 상승하게 된다. 이익의 분배를 남은 자녀들에게 동등하게 함으로써 투자수익률을 극대화할 수 있는 장점이 있다.

귀속시기의 조절

귀속시기를 조정한다는 것은 법인이 벌은 수입을 당장 대표이사 급여나 주주의 배당을 받지 않고 다음 해로 넘길 수 있다. 이는 생각보다 굉장한 장점이다. 그 이유는 가족법인의 대표이사로 계신 원장님의 소득이 올해 엄청 늘어나서 세금이 많이 부과될 거 같은 경우 원장님은 법인에게 근로소득이나 배당소득을 청구할 수 없다. 따라서 귀속시기를 조절한다는 것은 매우 큰 강점이다.

이상으로 가족법인 장점에 대해서 알아보았다. 가족법인이라고 무조건 장점만 있는 것은 아니고 다음과 같은 단점도 있다.

[단점]

자금인출의 어려움

법인의 경우 자금 인출 시 명확한 증빙이 없다면 자금을 인출하기가 너무 어려워진다. 증빙이 없으면서도 자금을 인출한 경우 가지급금으로 계상되어 추후 세무적으로 불이익이 발생한다.

개인소득세보다 높은 세 부담 가능성

실질적으로 다 그렇지 않지만 법인은 법인세만 내는 것이 아닌 대표이사에게 급여와 주주에게 배당 지급 시 배당소득세를 전반적으로 계산 시, 오히려 개인보다 세금적으로 높아질 가능성이 있다.

법인을 설립하고 운용하는데 있어 비용 발생

법인을 설립하는데 법무사 비용 백만 원 내외와 매월 세무사에게 기장을 맡김으로써 법인 월 기장료 20만 원 내외 그리고 매년 3월에 한 번씩 조정료를 2~3백만 원 부담하고, 사업장을 임대하는 경우 임대료가 들어간다.

구분	초기	매월	매년
법무사 비용	등기 비용 100만 원 내	–	–
세무사 비용	0	기장료 15~20만 원	조정료 200만 원

결론적으로 단점보다 장점이 가져다 주는 절세효과 및 자산가치 상승효과가 더 크므로 가족법인을 운영하는 것이 좋다.

TIP

병의원 원장님들은 법인을 설립하려고 한다면 위 2장에서 설명했던 MSO 법인을 위와 같은 가족법인으로 만드는 것도 좋은 방법이다.

제4장

세무조사

제4장 세무조사

01. 세무조사 선정대상

세무조사는 ⓐ 범칙 혐의 유무 ⓑ 조사 목적 ⓒ 조사 대상 세 가지로 분류한다. 이 세 가지에서도 조사 방법도 나뉘는데 표로 확인하면 이렇다.

범칙 혐의 유무		조사 목적		조사 대상	
일반세무 조사	조세범칙 조사	기획조사	긴급조사	통합조사	세목별 조사

일반적으로는 전부조사이지만 경우에 따라서 특정 부분만 조

사하는 부분 조사도 있다.

　세무조사는 크게 정기조사와 비정기조사로 나뉜다. 정기조사 대상자는 「국세기본법」 제81조 6에 의하여 선정된다.

> ① 성실도 분석에 의한 선정
> ② 무작위 추출에 의한 선정
> ③ 개별 관리 대상자에 대한 선정 등

　이와 같은 유형별로 구분해서 선정된다. 유형별 선정 기준에 대해 설명하자면,

　① '성실도 분석에 의한 선정'은 성실도 분석표가 있는데 이 성실도 분석표를 통해 성실도 하위순으로 선정한다. 선정하고 나서도 업종별·그룹별·규모별로 선정 비율을 부여해 조사 대상자를 선정한다.

　② '무작위추출에 의한 선정'은 말 그대로 일정 규모 이상의 납세자를 대상으로 무작위 추출해 선정하는 방식이다. 컴퓨터에 의한 난수 방식을 적용해 선정 대상 인원의 3배수를 추출하고, 난수가 큰 순서대로 제외 기준 해당 여부 등을 검토해 선정한다.

비정기 조사(수시 조사) 같은 경우는 대상자는 주로 지방국세청에서 진행한다. 대상자를 선정하기 위해서는 분석을 통해 이루어지는데 업종별, 탈세 유형별로 심리분석을 통해 대상자를 선정하게 된다. 최근에는 제보에 의한 세무조사도 늘어나고 있기 때문에 세무조사에 대한 긴장감을 항상 늦춰서는 안 된다.

경험상 세무조사를 받으신 원장님들이 한결같이 한 십 년은 늙는 것 같다고 하시는데, 세무조사가 시작되면 아무리 운영을 깨끗하게 해왔다고 하더라도 털어서 먼지가 안 나는 것이 없다는 옛 속담처럼 세금을 추징당할 가능성이 높다. 그렇다면 매도 먼저 맞는 것처럼 세무조사를 미리 당겨서 받을 수 있을까? 결론부터 이야기하자면 불가능하다. 그 이유는 위에서 설명했듯이 근거법에 따라서 세무조사 대상을 선정하기 때문이다. 가장 많이 질문하시는 것 중에 세무조사를 한번 받았으면 또 조사가 안 나오지 않느냐고 물어보시는 원장님들이 많으신데 반드시 그렇지만은 않다. 물론 같은 세목에 대해서 재조사를 금지하는 조항이 있긴 있지만, 타인이 제보하거나 다른 세목에서 문제가 생긴 경우 세무조사는 언제든지 다시 나올 수 있다는 것을 명심해야 한다.

 조세포탈범

조세포탈범이란, 국가의 조세징수권을 직접 실질적으로 침해하여 조세 수입을 감소시키는 범죄이므로 실질범에 속한다. 알아듣기 쉽게는 탈세범이라는 말이다. 조세위해범과는 다른 범죄이다.

가끔 병원 원장님들 중에 세금이 너무 많이 나오니 수입금액을 줄여달라고 요청하시는 분들이 있다. 필자에게 물어보면 절대로 수입금액을 줄여서 신고해서는 안 된다고 말씀드린다. 그이유는 세무조사 시 발견되게 되면 누락 된 수입금액이 일정 금액 이상이면, 국세청이 사법당국에 조세포탈범으로 고발해 처벌하는 상황까지 이루어질 수 있다. 검찰에 고발되면 세법 규정에따라서 정상적인 세금뿐만 아니라 그 외에 세금의 최고 3배에상당하는 벌금을 물어야 한다.

「조사사무처리규정」제76조는 조사관서장이 일반세무조사에 착수한 후 장부의 은닉, 파기, 그 밖에 조사 진행 중 사기나 그 밖의 부정한 행위로 인한 조세포탈혐의가 발견되거나 그 수법, 규모, 내용 등의 정황으로 보아 세법질서의 확립을 위하여 조세범으로 처벌할 필요가 있다고 판단되는 경우에 는 조세범칙조사로 전환할 수 있다고 규정하고 있다.

「조세범 처벌법」제3조는 "사기나 그 밖의 부정한 행위로써 조세를 포탈하거나 조세의 환급·공제받은 세액의 2배 이하에 상당하는 벌금에 처한다"고 명시하고 "다만, 포탈세액 등이 3억원 이상이고 그 포탈세액 등이 신고·납부하여야 할 세액의 100분의 30이상인 경우"와 "포탈세액 등이 5억원 이상인 경우"에는 "3년 이하의 징역 또는 포탈세액 등의 3배 이하에 상당하는 벌금에 처한다"고 규정하고 있다.

조세범칙조사심의위원회 회부 기준은 다음이 어느 하나에 해당하는 경우이다. (「조세범 처벌절차법 시행령」제6조 제1항)

● 조세포탈 혐의 금액 또는 비율이 다음과 같은 경우

연간 신고수입금액	연간 조세포탈 혐의 비율 또는 금액
100억원 이상	15%이상 또는 20억원 이상
50억원 이상~100억원 미만	20%이상 또는 15억원 이상
20억원 이상~50억원 미만	25% 이상 또는 10억원 이상
20억원 미만	5억원 이상

● 조세포탈 예상 세액이 연간 5억원 이상인 경우

02. 수입 누락 신고

수입 누락 신고는 다시 한번 강조하지만 절대 해서는 안 된다. 특히 병원 원장님들은 비용이 그렇게 많지 않아서 수입을 누락해서 신고했다가 국세청에 적발되면 높은 세율의 세금을 그대로 적용받는다. 국세청 전산이 엄청나게 발달되어 웬만한 수입금액을 누락하는 것은 적발될 가능성이 높다. 특히 대부분의 환자분들이 신용카드나 현금영수증을 요청하기 때문에 요즘은 더더욱 수입금액을 누락한다는 것은 어려운 일이다. 그럼에도 불구하고 몇몇 원장님들은 진료과목 중 비보험 적용 등에 대해서 현금 결제를 유도하여 수입금액을 누락하고 신고하는 경우가 가끔 있다. 실질적으로 국세청은 이런 것까지 파악할 수 있을까 싶지만, 환자들 중에 제보를 통해 정보가 들어가게 되면 세무조사에 착수하게 되고 가산세를 포함하여 수억 원의 세금을 추징당할 수 있다. 따라서 가장 좋은 방법은 정확하게 신고하고 절세하는 방법을 찾는 것이 중요하다.

대부분의 원장님들은 성실하게 신고하시지만, 수입금액을 누락하는 방법을 케이스 별로 설명하자면 다음과 같다.

1. 진료차트를 전산으로 관리하지 않고 수동으로 관리하면서 시술 환자가 현금으로 결제 시 10% 할인해 주고 그 수입금액을 누락

2. 비보험 진료차트를 별도로 관리하고 암호화하는 방법으로 해서 현금 수입금액을 탈루
3. 비보험 현금 수입금액을 차명계좌로 입금하는 경우

이러한 방식으로 세금을 탈루하다가 공익 제보자의 제보로 세무조사에 착수하게 되면, 본세는 본세대로 내야 하며 그 본세에 일반과소신고 가산세가 10%와 납부지연가산세가 대략 연이율 8%로 세금을 추징당하게 된다.

예를 들어 수입금액 10억을 누락해서 본세가 4억이라고 하면 여기에 과소신고가산세 10% 4천만 원 종합소득세 신고 기한 후 3년 뒤에 세무조사가 나왔다면 납부지연가산세는 4억×8%×3년=9천6백만 원으로 두 개의 가산세만 합쳐도 1억 3천6백만 원이며 본세와 합쳐서 5억 3천6백만 원을 납부하여야 한다. 따라서 수입금액을 누락하는 것은 피하는 것이 좋다.

03. 세무조사 받았다고 안심할 수 없다.

일반적으로 세무조사를 받은 경우 원장님들은 한번 받았으니 일정 기간 안 나올 거라고 생각하시는 분들이 대부분이다. 따라서, 세무조사 후 이제 몇 년 동안 세무조사는 안 나오니 매출액이나 소득률을 줄여서 신고하는 경우가 많다. 그러나 이는 적절치 못한 방법이다.

국세청에서는 빅데이터 관리를 통해 매년 적격증빙(세금계산서나 현금영수증)에 비해 과다하게 경비가 들어간 부분을 적극적으로 관리하고 있다. 특히 매년 5월 종합소득세 신고 안내문상에 과다경비가 들어갔으므로 주의하라는 경고 문구가 지속적으로 쓰여 있다면 또다시 세무조사 대상에 선정될 수 있으므로 주의해야 한다.

위에서 이야기한 것과 같이 세무조사는 3가지 방식으로 대상을 선정하게 된다. ① 신고 성실도 분석 ② 무작위 추출 ③ 개별 관리 대상자 등 이렇게 있는데 ①번과 ②번과 다르게 ③번인 개별 관리 대상자를 주의 깊게 살펴봐야 한다. 소득이 높은 병의원 원장은 대부분 개별 관리 대상자에 포함이 되어 있기 때문이다. 국세청에서 개별 관리 대상자로 선정했다는 것은 신고 성실도, 자산의 형성 과정 등을 중점 관리한다는 의미로 볼 수 있다. 또 국세청에서는 소득지출분석 프로그램, FIU 자료 활용, 금융소득종합과세 2천만 원 하향 조정 등의 과세 자료를 활용해 신고된 소득 대비 지출 규모(신용카드, 금융자산, 부동산, 대출 상환 등)를 파악해 과다 지출 혐의가 높은 병의원을 세무조사 대상자로 선정하고 있다. 따라서 세무조사를 받았다고 해서 세무조사가 바로 다시 나오지 않는다는 보장이 없으므로, 적절한 사후관리를 통해 적절한 세금 신고가 세무 리스크를 줄이는 방법이다.

04. 성실신고

　매출과 수입 병원을 운영하면서 발생한 비용에 대해서 전부 신고하고 성실하게 세금을 낸다고 해도 세무조사를 피할 수 있는 것은 아니다. 국세청 입장에서는 신고한 매출액이 전부 제대로 된 신고인지 조사해 봐야 알 수 있기 때문이다. 그렇지만 매출 경비 자료를 철저히 겸비해 두고 있다면 걱정할 것은 없다. 과거에는 병의원에서 매출액을 전액 신고했다는 사실을 믿지 않는 경향이 있었지만, 현재는 전후 사정과 일일 장부, 차트를 대조해 매출액 누락 혐의가 없다면 모범납세자로 선정해 표창을 주는 경우도 있다.

　불필요한 세무조사를 받는 일이 생기지 않게 하기 위해서는 어떻게 해야 할까? 바로 병의원 전문 세무 대리인을 통해 정확한 자료를 준비하고 성실하게 신고 의무를 이행하는 것이다. 이가 아프면 치과를 가고, 배가 아프면 내과를 가듯이 세무사도 마찬가지이다. 세무사 또한 모두 같은 전문가처럼 보이겠지만 병의원 전문 세무사, 상속세 전문 세무사, 양도세 전문 세무사 등 자신이 자주 처리하고 잘 하는 분야가 있다. 전문가를 찾아갈 때 병의원 전문으로 하는 세무 대리인을 구해서 관리해야 한다.

```
TIP.

매출을 뒷받침할 자료 갖추기
적격증빙 또는 손익계산서의 계정과목별 경비가 적정비율로 관리
```

감가상각비

경비 중 관리가 가장 까다로운 계정은 감가상각비이다. 감가상각비는 체계적이고 전략적으로 운영해야 한다. 개원 초기에는 매출이 바로 높은 금액으로 예상하기 힘드니 15% 또는 24%의 세율 구간에 해당하는 수입 규모를 유지하는 정도로 감가상각을 하는 것이 좋다. 초기 설정은 이렇게 하고 시간이 지나 매출액이 늘어나 높은 세율의 소득세를 내야 하는 시기가 오면 그때 감가상각을 적극적으로 활용하는 것이 훨씬 유리하다.

성실신고 안내문

병의원을 운영하다가 종합소득세 신고 전 국세청에서 전년도 종합소득세 분석 결과를 근거로 성실신고 안내문을 받게 될 수 있다. 이러한 안내문은 국세청에서 신고 내용과 병의원의 개별적인 특성을 분석해 지적한 경우와 단순히 통계자료와 비교해 지적한 경우에 안내문을 받게 된다. 성실신고 안내문을 받았다면 그 내용에 대해 혼자 처리하려고 하기보단 세무 전문가를 찾아가 정확한 상황을 파악하는 것이 바람직하다. 성실신고에 대

한 안내문을 받을 당시에 아무런 문제가 없다고 생각하고 넘어가게 되면 세무조사로 이어질 수도 있으니 종합소득세를 신고할 때 안내문을 참고해서 처리해야 한다. 장기적인 측면으로 봐도 이를 무시하고 넘어가면 나중에 큰 문제로 번질 수 있기 때문에 안내문을 잘 고려해서 올바르게 신고해야 한다.

📊 비정기 조사

세무조사는 특별한 이유 없이 5년마다 이루어지는 정기세무조사가 있고, 신고 내용에 따른 판단을 통해 세무조사를 하는 비정기 조사가 있다. 문제가 없다면 정기세무조사만 신경 쓰면 된다고 생각하는 것은 금물이다. 개원하고 1년 차 2년 차에는 큰 걱정을 하지 않고 있다가 세무조사를 받을 수도 있다. 기본적으로 자금출처가 의심되는 요소가 있다면 세무조사가 나올 수 있다. 이외에도 주로 내부고발이나 탈세 제보에 의해서 세무조사를 할 수 있는 확률이 높다. 이러한 상황을 예방하기 위해서는 개원한지 얼마 되지 않았다고 걱정할 것이 아니라 개원할 때부터 세무 대리인의 도움을 받아 미리 준비하고 대비하는 것이 바람직하다.

최근 병의원 세무조사는 탈세 제보를 통해서 이루어지는 세무조사가 증가하고 있다. 탈세 제보는 두 가지로 나눠볼 수 있다. 첫 번째로는 차명계좌에 대한 제보, 두 번째로는 구체적인 증거에 의한 제보가 있다. 이러한 제보는 서면, 인터넷, 전화 등으로 이루어지고 있다.

따라서 절대로 차명계좌를 사용하면 안 된다. 특히, 몇 건은 차명으로 받아도 괜찮겠지 하고 현금을 차명계좌로 유도하는 경우 이것만을 노리고 포상금을 타려고 하는 세파라치들에 의해 세무조사 대상에 선정되게 된다. 차명계좌로 세무조사대상에 선정되면 차명으로 받은 금액에 대해서 일일이 소명을 해야 하며, 소명이 안되는 경우 매출로 보아 그에 대한 세금 및 가산세를 부담해야 한다. 따라서 절대로 차명계좌를 쓰면 안 된다는 것을 명심 또 명심하여야 한다.

05. 부동산 취득 시 자금출처 소명자료 제출

병원을 잘 운영하시는 원장님들은 여러 해가 지나면, 벌어들인 소득으로 부동산을 구입한다. 일례로 내과를 운영하는 원장님이 상가를 본인 자금과 대출을 받아서 구입한 뒤 세무서에서 자금출처 해명자료를 제출하라는 연락을 받아서 필자에게 보내왔다. 대부분 자금출처 해명자료는 세무서에 신고된 소득자료와 지출한 비용을 분석하여 소득금액이 자산 취득금액보다 적은 경우 이에 대한 소명을 요청하는 것을 말한다. 여기에서 제대로 소명이 이루어지지 않는 경우 세무조사를 받을 수 있다.

세무서 입장

세무서에서는 금융 소득이 발생한 상황에서 직업, 나이, 재산 등을 살펴보았을 때 그 자금의 출처가 불분명하다고 판단하여 자금 출처에 대한 해명자료 제출 안내문을 보내 서면 확인을 하거나 또는 자금출처 조사를 실시하게 되는 것이다.

대상자 선정

국세청은 빅데이터 분석을 통해 자금출처 해명자료 대상자를 선정한다. 대표적으로 PCI 시스템을 이용하고 있다. PCI 시스템이란 '지출 분석 시스템'이라고도 부른다. 이 시스템은 국세청에서 특정인의 소득과 지출을 파악하고 세무조사 대상사를 선정하기 위해 도입된 시스템이다. 국세청 전산망에 모든 정보를 가지고 있다. 심지어 사업자의 소득과 지출, 보유 재산 등을 거의 대부분을 파악하고 있으며 가족관계도 다 파악된다. 또한, 사업자의 자료를 통합, 비교, 분석하여 세금탈루 혐의자를 전산으로 추출하는 것이 가능해졌다. 또한 금융정보분석원으로부터 의심거래 보고(STR) 및 고액 현금 거래(CTR) 자료를 보고받고 있어 더 정확한 근거에 의해 자금출처 소명 요구 대상자를 선별하고 있다. 이런 분석을 통한 선정 외에, 탈세 제보, 세무조사 파생 자료, 정보자료 등에 따라 자금출처 조사가 필요하거나 재산 취득과 관련된 세금을 누락한 혐의가 있어 지방 국세청장 또는 세무서장이 자금출처 조사를 할 필요가 있다고 인정되는 경우 자금출처 조사 대상자로 선정될 수 있다.

그리고 선정된 실지조사 대상자가 배우자 또는 특수 관계(직계존비속 등) 취득 자금을 증여받은 혐의가 있는 경우에는 그 배우자 등을 조사 대상자로 동시에 선정할 수 있다.

자금 출처 해명자료 요청하는 현금 지출 내역은 부동산 취득, 골프 회원권 취득, 분양권 취득, 주식취득, 부채 상환 등 현금 지출이 갑자기 발생한 경우 요구하므로, 이에 대한 증빙을 미리 준비하는 게 좋다.

자금출처 해명 요구 관련 인정 금액 및 증빙서류

구분	자금출처로 인정되는 금액	증빙서류
근로소득	총급여액 – 원천징수 세액 – 신용카드 사용금액 등 지출액	원천징수 영수증
원천징수 영수증	총지급액 – 원천징수 액	원천징수 영수증
사업소득	소득금액 – 소득세 상당액	소득세신고서 사본
이자·배당· 기타소득	총급여액 – 원천징수 세액	원천징수 영수증
차입금	차입 금액	부채증명서
임대보증금	보증금 또는 전세금	임대차계약서
보유 재산 처분액	처분 가액 – 양도소득세 등	매매계약서

이처럼 국세청, 세무서에서 재산 취득금 출처에 대해 해명자료를 제출하라는 안내문을 받게 되면 객관적인 증빙을 통해 출처가 불분명한 금액에 대해 해명자료를 제출하면 된다.

국세청에서 자금 출처 해명 요구가 이루어지는 경우 해명을 하는 경우 혐의없음으로 끝나거나 배우자 및 특수관계인으로부터 증여받은 금액이 경미한 경우 수정신고를 통해 세금을 부과하는 것으로 끝날 수 있다. 그러나 해명을 제대로 하지 못하는 경우 세무조사를 받을 수 있으므로 해명 요구가 왔을 때 가볍게 생각하지 말고 반드시 세무 전문가의 조력을 받는 것이 필요하다.

재산 취득금 출처에 대한 해명자료 제출 안내문을 받게 되더라도 전체 금액에 대해 소명해야 하는 것은 아니다.

> 취득자금(취득세 포함한 가액)의 20% vs 2억원
> = 작은 금액만 제외하고 나머지에 대해서만 소명

전체 취득 자금(취득세 포함한 가액)의 20% 금액과 2억 원 중 적은 금액만 제외하고 나머지에 대해서만 소명하면 된다. 따라서 소득별 원천징수 영수증이나 채무 증명서, 예금계좌 자료, 매매 계약서 등의 서류를 세무서에 제출하면 되는 것이다. 모든 금액은 수입에서 세금을 제외한 부분만 인정되며 해당 서류에서

인정되는 금액에 대한 예시는 아래와 같다.

① 본인 재산을 처분한 대금에서 양도세를 공제한 금액

② 금융 재산에 대한 이자소득 및 배당소득으로서 원천징수 세액을 공제한 금액

③ 기타소득은 수령액에서 원천징수 세액을 공제한 금액

④ 사업소득 및 부동산임대소득은 소득금액에서 소득세액을 차감한 금액

⑤ 급여소득은 총 급여에서 원천징수 세액을 공제한 금액

⑥ 퇴직소득은 총 지급 금액에서 원천징수 세액을 공제한 금액

⑦ 재산취득일 이전에 차용한 부채

(단, 원칙적으로 배우자 및 직계존비속 간의 채무는 인정되지 않는다.)

⑧ 재산 취득일 이전에 받은 전세금 및 보증금

또한, 국세청은 모든 재산에 대해서 자금출처를 조사할 수 없으므로 아래와 같이 증여추정 배제 기준을 두고 있다.

증여추정 배제 기준

구분	취득 재산		채무상환	총액한도
	주택	기타 재산		
30세 미만	5천만 원	5천만 원	5천만 원	1억 원
30세 이상	1.5억 원	5천만 원	5천만 원	2억 원
40세 이상	3억 원	1억 원	5천만 원	4억 원

06. 의료비 자료 제출

연초가 되면 연말정산간소화 서비스의 기초자료인 지난 1년 동안의 의료비 자료를 국세청에 제출해야 한다. 더해서 진료비 10만 원 이상은 현금영수증을 발급해야 한다는 규정이 있다. 하지만 개원한지 얼마 되지 않은 병원의 경우 이러한 사실을 놓치게 되는 경우가 더러 있다. 만약 의료비 자료를 제출하지 않게 되면 어떻게 될까?

 연말정산간소화 서비스란?

연말정산이란 근로자들이 1년간 간이세액표에 따라 원천징수한 뒤 2월에 홈택스에 집계된 전년도의 정확한 자료를 통해 근로소득세를 산출하여, 원천징수 한 금액보다 많으면 세금을 환급해 주고, 원천징수 한 금액이 정확한 세금보다 적으면 징수하는 것을 말한다. 원장님들 대부분은 사업소득자인데 왜 연말정산을 설명하는지 궁금하실 수 있다. 그 이유는 의료비 세액공제로 인해 근로자들은 본인의 급여에 3% 이상 사용한 의료비에 대해서 15% 세액공제를 받을 수 있다. 따라서 이러한 의료비 자료가 제대로 제출되지 않으면 근로자들이 세액공제를 받을 수 없는 문제가 될 수 있으므로 이러한 시스템을 알고 있어야 한다.

연말정산간소화 서비스란 근로자들이 연말정산을 할 때 어려움이 있는 근로자들을 위해 간편하게 처리할 수 있도록 이를 도와주는 역할을 하는 서비스다. 은행이나 병원 학교 등이 직전 1년간 근로자가 결제한 금액 및 기본 정보 등을 세무서에 제출하고 이에 따라 근로자는 홈택스 연말정산 간소화 서비스에서 1년 동안 사용내역을 출력하여 회사에 제출함으로써 세금 산출 시 소득공제 및 세액공제를 쉽게 받을 수 있도록 지원하는 서비스를 말한다.

따라서, 위와 같은 의료비 자료를 제출하지 않은 경우 환자 또는 환자의 가족이 의료비 세액공제를 못 받는 경우가 생기게 되고, 이에 대해 굉장히 민감한 근로자들은 제출하지 않은 병의원을 국세청에 제보한다. 이러한 제보가 1차 2차까지는 병원에 경고 및 지도 조치를 하나, 3회 이상인 경우 세무조사 대상에 선정될 수 있으므로 반드시 정해진 기일 안에 자료를 제출하여야 한다.

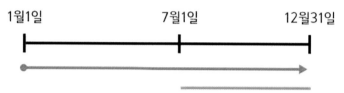

이번년도

1월1일　　　　　　　　　7월1일　　　　　　12월31일

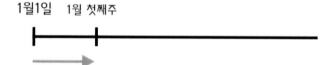

다음년도

1월1일　1월 첫째주

※ 국세청은 1월 15일 정도에 연말정산 간소화 서비스를 시작한다. 따라서,
그전에 아래와 같은 자료를 국세청에 제출하여야 한다.

> ☆ 매년 1월 1일부터 12월 31일까지 의료비에 대해
> - 의료기관 등의 사업자등록번호·기관 번호
> - 환자의 성명·주민등록번호
> - 의료비 수납 일자
> - 의료비 수납 금액(병명은 제출 대상이 아님)
> - 보험·비보험 구분 없이 "전체 의료비 자료(12개월분
>   '보험+ 비보험' 의료비 자료)"
> ☆ 위에 모든 자료들은 매년 7월 1일부터 월별, 분기별,
>   반기 별로 다음 연도 1월　째 주까지 제출해야 한다.

현금영수증 발급

진료비 10만 원 이상은 현금영수증을 발급해야 한다. 정부에서는 병의원은 고소득 전문직으로 구분해서 보고 있다. 일부 업종에 대해서는 세원의 투명성을 강화하기 위해서 「소득세법」에 현금영수증 발급 의무를 규정하고 있는 것이다. 만약 진료비가 10만 원 이상으로 나오고, 그 대금을 현금으로 받은 경우에는 소비자가 현금영수증 발급 요청을 하지 않았더라도 발급해야 한다. 만약 현금영수증을 발급하지 않으면 미발급액의 20%가 가산세로 부과된다. 따라서 진료비 총액(건강보험공단 청구 금액 포함)이 10만 원 이상이 경우에는 건강보험공단 청구 금액을 제외한 수납 금액에 대해서는 반드시 현금영수증을 발급하여야 한다.

○ 전문직 업종: 변호사업, 회계사업, 세무사업, 변리 사업, 건축사업, 법무 사업, 심판변론인업, 경영 지도사업, 기술 지도사업, 감정평가사업, 손해사정인업, 통관업, 기술사업, 도선사업, 측량사업
○ 의료업종: 의사, 치과의사, 한의사, 수의사

07. 건강보험공단 현지조사

　병의원을 운영을 하다 보면 건강보험공단에서 사업장 현지 확인 조사차 인건비와 관련해서 4대 보험 신고를 적절하게 했는지와 복리후생비, 소모품비, 접대비, 지급수수료 등의 항목에 대해 경비 지출 내역을 제출하라는 공문을 받게 된다.

「국민건강보험법」상, 건강보험공단에서도 신고한 소득금액이 적절한지를 확인할 수 있고 공단 입장에서는 탈루한 소득이 있으면 그만큼 건강보험료를 추징할 수 있다. 건강보험공단의 소득 탈루 조사 후 신고한 보수나 소득에 축소나 탈루가 있다고 인정되면 보건복지부 장관을 거쳐 문서로 국세청장에게 송부하고 심의위원회를 열어 실제 세무조사 여부를 판단한다.

지도점검 시 요구하는 자료

- 종합소득세 확정 신고서
- 근로소득 원천징수부
- 원천징수 영수증
- 임금대장
- 원천징수 이행 상황 신고서
- 계정별 원장(복리후생비, 차량유지비, 수선비, 소모품비 등)

건강보험공단에서는 위 자료를 통해 직원들의 4대 보험 신고 및 납부의 적정성 여부를 파악하고 누락되거나 적게 부과된 경우 그러한 건강보험료를 추가로 부과한다. 특히 세무상 계정별 원장을 분석하여 잘못 사용된 부분(주말 사용, 여행지에서 사용 등)을 분석하여 세금을 추징 당할 수도 있으니 각별히 주의해야 한다.

위에 건강보험공단과 달리 건강보험심사평가원에서 현지조사를 나오는 이유는 보험 청구를 잘못했기 때문이다. 심평원은 자율적으로 시행하던 적정성 평가를 심사-평가-현지조사의 연계성을 강화한 융합 심사로 실시하고 있다.

현지조사 대상을 정하는 방식은 분기별로 지표 관련 정보를 제공해 요양기관의 자율적인 개선을 유도하고 연말에 미개선 요양기관에 대해서는 현지조사 대상을 선정하고 있다. 이처럼 현지조사 대상으로 선정되고 현지 조사가 이루어지고 난 이후에는 문제점의 경중에 따라 과징금, 업무정지, 면허정지와 같은 처분을 할 수 있다. 아래서 자세히 살펴보자.

업무정지
업무정지라 함은 「국민건강보험법」상 요양기관으로서의 업무를 수행할 수 있는 법적 지위를 일정 기간 박탈하는 제도로서 이 기간 중에 요양기관은 가입자와 피부양자에 대해 요양급여를 행할 수 없다. 그러나「국민건강보험법」상의 가입자와 피부양자가 아닌 자동차보험 환자, 산업재해보상보험 환자, 의료급여 환자에 대한 의료행위는 가능하다. 보건복지부 장관은 요양기관이 속임수, 기타 부당한 방법으로 보험자, 가입자 및 피부양자에게 요양급여 비용을 부담하게 한때, 「국민건강보험법」 제97조 규정에 의한 명령을 위반하거나 허위 보고를 하거나 소속 공무원의 검사 또는 질문을 거부, 방해 또는 기피한 때에 업무정지 처분을 할 수 있다.

면허정지

면허정지란 해당 면허 소지자가 의약 관계 법규를 위반했을 경우 일정 기간 그 자격의 정지를 명하는 행정처분으로 그 기간에는 의료행위, 조제 행위 등이 일절 금지된다.

과징금

과징금이란 요양기관이 속임수, 기타 부당한 방법으로 요양급여 비용을 지급받은 사유로 업무정지 처분을 해야 하는 경우로서, 그 업무정지 처분이 당해 요양기관을 이용하는 자에게 심한 불편을 주거나 기타 특별한 사유가 있다고 인정되는 때에 그 업무정지 처분에 갈음하여, 부당한 방법으로 부담하게 한 금액의 4~5배 금액을 부과하는 금전을 말한다. 업무정지 처분 등과 병행해 처분이 이루어질 수 있다.

제5장

4대보험 및 직원 인건비

제 5 장 4대 보험 및 직원 인건비

01. 근로계약서와 취업규칙

개원을 했을 때 의료기기와 같은 것도 중요하지만 가장 고민이 되고 많은 비용이 드는 것은 직원을 고용하는 것이다. 직원을 고용하게 되면 세법 관점에서는 비용처리를 어떻게 해야 하는지, 직원을 고용함에 있어 가장 먼저 해야 할 것이 어떤 것인지 고민이 될 수 있다. 우선 직원을 고용하면 근로계약서를 작성해야 한다. 근로계약서를 작성할 때 종종 사용자들이 근로계약서에 대해 편견이 있다. 예를 들어 근로계약서가 근로자에게만 유리하고 좋은 거라고 생각하시는 분들이 있다. 하지만 의도

적으로 근로자를 착취할 생각이 아니라면 근로계약서를 작성해 두는 것이 사용자에게도 도움이 된다.

근로계약서에 대해 알아보자. 근로계약서는 근로자는 사용자에게 근로를 제공하고 사용자는 이에 대해 임금을 지급하는데, 이를 위해 임금·근로 시간 휴일 및 휴가, 근로기간 등 중요한 근로조건을 합의하고 계약을 체결해야 하는 것을 '근로계약'이라고 한다. 이와 같은 내용으로 서면으로 체결한 것이 '근로계약서'라고 한다.

그럼 근로계약서를 작성하지 않게 되면 어떻게 되는지 알아보자. 근로계약서를 작성해야 할 의무는 사용자에게 있고, 상시 근로자가 1인 이상인 경우 사용자는 근로계약서를 작성해야 한다. 만약 이를 위반하게 된다면 500만 원 이하의 벌금이 부과된다.

근로계약서를 작성했다고 안심하긴 이르다. 급여를 지급하는 과정에서 여러 수당이 있을 수 있다. 이런 가변 수당
을 포함하는 형태로 계약을 체결하고 싶다면 근로계약서에 명시하는 것이 좋다. 여기서 주의해야 하는 것은 실제로 근로 시간으로 계산한 금액이 지급된 금액보다 큰 경우 추가 지급 문제가 발생할 수 있다.

이처럼 근로계약서를 작성할 때는 근로조건을 명시한 근로계약서를 반드시 작성해야 한다.

만약 계약을 진행하고 이후에 월급이 오르게 된다면, 근로계약서도 임금 인상과 같은 근로조건을 변경해서 다시 작성해야 한다. 만약 근로계약서를 다시 작성하지 않게 된다면 위에 말한 것과 같이 500만 원 이하의 벌금이 처해질 수 있다. 하지만, 임금 인상만 변동된다면 근로계약서를 별도로 작성하는 것이 아니라 연봉 계약서로 대신할 수 있다.

> ※ 근로계약서 작성 시 반드시 명시해야 하는 사항 ※
>
> ① 임금의 구성 항목
> ② 임금의 계산 방법 및 지급 방법
> ③ 소정근로시간
> ④ 휴일
> ⑤ 연차 유급휴가에 관한 규정

※ 근로계약서 작성할 때 유의 사항 ※

제6조 사용자는 근로자에 대하여 남녀의 성을 이유로 차별적 대우를 하지 못하고, 국적·신앙 또는 사회적 신분을 이유로 근로조건에 대한 차별적 처우를 하지 못한다.

제15조 근로기준법에서 정한 기준에 미치지 못한 근로조건을 정한 근로계약은 그 부분에 한정해 무효로 한다. 무효로 된 부분은 「근로기준법」에서 정한 기준에 따른다.

제20조 사용자는 근로계약 불이행에 대한 위약금 또는 손해배상액을 예정하는 계약을 체결할 수 없다.

제42조 사용자는 근로자명부와 대통령령으로 정하는 근로계약에 관한 중요한 서류를 3년간 보존하여야 한다.

제55조 사용자는 근로자에게 1주에 평균 1회 이상의 유급휴일을 보장해야 한다.

취업규칙

직원이 어느 정도 생기면 취업규칙을 만들어야 한다. 초반에 몇 명 없을 때는 취업규칙에 대해 생각이 별로 없을 수 있지만 직원이 늘어남에 따라 취업규칙에 대해 생각해 보게 될 것이다. 만약 직원이 10명 이하라면 생각만 해봐도 괜찮지만 10명 이상인 사업장은 취업규칙이 필수로 작성해야 한다.

취업규칙이란 쉽게 설명하면, 근로자들에게 적용되는 사내 규정을 명시한 문서이다. 근로계약서에도 중요한 근로조건을 명시해야 하지만 취업규칙에는 좀 더 세세한 사항까지 명시해야 한다.

> ※ **취업규칙의 우선 적용 순위는 다음과 같다.**
>
> 헌법 > 법률 > 시행령 > 단체협약 > 취업규칙 > 근로
> 계약 > 사용자의 지시

취업규칙은 상시 근로자가 10명인 이상인 사업장에서는 꼭 작성, 신고해야 한다. 이를 위반하게 되면 500만 원 이하의 과태료를 물어야 한다. 병원의 특성상 규정 없이 운영을 하다 보면 운영에 어려움을 느끼고 특별한 규정이 필요할 때는 취업규칙을 작성해 명시할 수 있다. 또한 직원들에게 현금으로 지급하는 복지수당 등에 대해서는 취업규칙에 정해두는 것이 세무조사

때 경비로 인정받기 위해 도움이 된다. 근로자와 분쟁이 생겼을 때 위법인 경우를 제외하고 취업규칙이 우선하여 적용된다. 이처럼 취업규칙은 명확하고 정확하게 작성하는 것이 좋다.

취업규칙의 필수 구성 내용

① 업무의 시작과 종료 시각, 휴게시간, 휴일, 휴가 및 교대 근로에 관한 사항
② 임금의 결정·계산·지급 방법, 임금의 산정 기간·지급 시기 및 승급에 관한 사항
③ 가족수당의 계산·지급 방법에 관한 사항
④ 퇴직에 관한 사항
⑤ 「근로자 퇴직급여 보장법」 제4조에 따른 퇴직금, 상여 및 최저임금에 관한 사항
⑥ 근로자의 식비, 작업 용품 등의 부담에 관한 사항
⑦ 근로자를 위한 교육시설에 관한 사항
⑧ 출산 전후휴가·육아휴직 등 근로자의 모성 보호 및 일·가정 양립 지원에 관한 사항
⑨ 안전과 보건에 관한 사항
⑩ 근로자의 성별·연령 또는 신체적 조건 등의 특성에 따른 사업장 환경의 개선에 관한 사항
⑪ 업무상과 업무 외의 재해 부조에 관한 사항
⑫ 표창과 제재에 관한 사항

⑬ 그 밖에 해당 사업 또는 사업장의 근로자 전체에 적용될 사항

근로자 수별 사업주 의무

1. 근로자 5인 미만
① 근로계약서 작성, ② 근로자명부 및 임금대장 작성, ③성희롱 예방 교육(모든 근로자 대상 1년에 1회 이상 실시), ④ 해고예고수당 지급: 해고 30일 전에 예고하거나 30일분의 통상임금 지급, ⑤ 퇴직금 지급 의무: 30일분 이상의 평균임금 지급, ⑥ 주휴수당, 재해보상, 건강진단 의무

2. 근로자 5인 이상 10인 미만
1(근로자 5인 미만) + ① 안전보건 교육의무, ② 연차 유급휴가: 1년간 80% 이상 근로 시 15일, 계속 근속 2년당 가산 휴가 1일, 1년 미만자 1월 개근 시 1일 발생 (최대 11일까지 부여), ③ 해고 사유 서면 통지, ④ 부당해고 구제 적용, ⑤ 야간·연장 근로수당, 휴업수당 및 휴일근로 수당 지급

3. 근로자 10인 이상
1+2+① 취업규칙 작성 신고 의무

4. 근로자 30인 이상

1+2+3+① 고충 처리 위원회 설치 의무, ② 노사협의회 설치 의무, ③ 안전관리자 선임

02. 비과세 적용수당과 4대 보험료

비과세 수당

비과세 수당이란 쉽게 말 그대로 과세 되지 않는 수당을 말한다. 사업자가 기본적으로 근로자에게 제공·지급되는 급여는 과세가 된다. 반면 비과세 수당의 경우 세금을 과세하지도 않고 4대 보험료 또한 부과되지 않기 때문에 잘 활용한다면 정말 비용 절감에 있어서 큰 도움이 될 것이다. 하지만 비과세 항목이 많기 때문에 자신의 업종에 해당하는 비과세 수당이 어떤 것이 있는지 확인하는 것이 중요하다. 아래에 보는 7가지가 병의원에서 적용할 수 있는 비과세 항목이다.

출산 보육수당

6세 이하의 자녀가 있는 근로자의 경우 월 10만 원 이내의 금액을 출산보육수당 명목으로 지급하면 비과세 적용이 가능하다. 과세기간 개시일을 기준으로 자녀가 6세 이하에 해당하면 당해 연도 말까지 비과세 적용을 받을 수 있다.

일직료, 숙직료, 여비

회사의 사규 등에 의하여 그 지급 기준이 정하여져 있고 사회 통념상 타당하다고 인정되는 범위 내에 해당하는 금액을 비과세한다.

식대

월 20만 원 이내의 금액을 식대 명목으로 지급하는 경우 비과세가 적용된다. 단, 구내식당 등을 통해 식사를 제공하거나 식사 비용을 병원 비용으로 별도 지급하는 경우에는 비과세 적용을 할 수 없다.

근로자 본인의 학자금

근로자 본인의 학자금으로 학교(대학원 포함)와 직업능력개발훈련 시설의 입학금, 수업료로 다음 요건을 모두 갖춘 경우 비과세된다.

- 업무와 관련된 교육·훈련을 위하여 지급받아야 하며
- 정해진 지급 기준에 의하여 지급되고
- 교육·훈련 기간이 6개월 이상인 경우 교육·훈련 이후 교육기간을 초과하여 근무하지 않은 경우 반환하는 조건일 것.

자가운전 보조금

근로자 소유의 차량을 업무용으로 사용하는 경우 월 20만 원 이내의 금액을 비과세할 수 있다. 반드시 근로자 소유의 차량이 어야 하며 출퇴근용이 아닌 업무용임을 분명히 해야 한다. 병의 원의 경우 근로자 소유의 차량을 업무상으로 사용하는 경우가 많지 않으므로 적용할 때 주의해야 한다.

제복, 제화, 피복

법령이나 근무 환경상의 작업복, 제복, 제화, 피복 등은 비과세 된다.

경조금 등

사업주가 근로자에게 지급한 경조금 중 사회 통념상 타당하다고 인정되는 범위 내의 금액은 이를 지급받은 자의 근로소득으로 보지 않는다.

4대 보험 신고 의무

4대 보험이란 국민연금, 국민건강보험, 고용보험, 산재보험(산업재해보상보험)이 네 가지를 합쳐서 4대 보험이라 한다. 사업 자는 직원을 채용하게 되면 4대 보험을 의무적으로 신고해야 한다.

4대 보험에 부담 비율을 보면 [국민연금, 국민건강보험 < 고용보험 < 산재보험] 순서로 볼 수 있다. 국민연금과 국민건강 보험에 대한 보험료는 사업자 50%, 직원 50%로 부담하고 산재

보험의 경우는 100% 사업자가 전부 부담하게 된다.

	국민연금	건강보험
가입 대상	18세 이상 60세 미만인 자	모든 근로자 및 사용자
가입 제외 대상	- 월 근로 시간 60시간 미만 단기간 근로자 - 1개월 미만 일용근로자 - 국민기초생활수급자	- 월 근로 시간 60시간 미만 단시간 근로자 - 1개월 미만 일용근로자 - 의료급여수급권자
보험료	9% 사용자: 4.5% 부담 근로자: 4.5% 부담	7.09% 사용자: 3.545% 부담 근로자: 3.545% 부담 장기요양보험료: 0.9182%

	고용보험	산재보험
가입 대상	모든 근로자 및 사용자	모든 근로자
가입 제외 대상	- 월 근로시간 60시간 미만 단시간 근로자 - 65세 이후에 새로이 고용된 자	없음
보험료	1.8% (2022.7.1.) 사용자: 1.15% 근로자: 0.9%	0.72~0.74% (병의원의 경우) 사용자가 전부 부담

03. 출산 전후휴가

출산휴가 제도가 사회적으로도 여성의 불이익에 대한 문제로 직결되기 때문에 보장해 줘야 하는 게 당연하다. 하지만 현실적으로 휴가를 낸 직원에게도 임금을 지불해야 하고, 휴가 간 직원을 대체하기 위해 임시직 원조 채용해야 하는데 두 가지 비용을 다 감당하기에는 부담이 된다.

직원의 입장에서도 그런 상황을 알고 있기 때문에 불편하고, 출산휴가 중에 임금을 제대로 받을 수 있을지, 복직 또한 제대로 할 수 있을지 걱정과 불안에 떨 수밖에 없다.

이때 사용하면 좋은 제도가 바로 '출산전후휴가'이다. 출산전후휴가란 임신한 근로자는 출산 전후에 90일(다태아는 120일)의 휴가를 사용할 수 있으며 이 중 최초 60일(다태아는 75일)은 유급휴가로 보장되는 것이다. 출산전후휴가 제도는 출산한 여성 근로자의 근로의무를 면제하고 임금 상실 없이 휴식을 보장하는 제도이다. 임신 중이거나 출산한 여성 근로자는 누구나 신청할 수 있고, 출산전후휴가 중인 근로자를 해고할 수 없도록 법으로 규정해놓고 있다.

기간	산 전후에 90일(다태아는 120일)의 휴가를 사용할 수 있으며 이 중 최초 60일(다태아는 75일)은 유급휴가로 보장
지원 금액	- 근로자의 통상임금 - 상한액('24년 기준 월 210만 원, 상한액은 매년 고시) - 하한액(최저임금액)
신청 방법	출산전후휴가 (유산 또는 사산 휴가)를 시작한 날 이후 1개월부터 휴가가 끝난 날 이후 12개월 이내 신청하면 된다. 가까운 관할 고용센터를 방문해서 접수하거나, 온라인 또는 우편으로 신청
구비 서류	- 출산전후휴가 확인서(사업주) - 출산전후휴가 급여 신청서(근로자) - 통상임금을 확인할 수 있는 자료

앞서 출산전후휴가에 대해 말한 것과 같이 출산전후휴가를 제공하는 사업자는 이 제도에 의해 임신 중인 여성에 대하여 출산 전후를 통하여 90일(다태아일 경우 120일)의 휴가를 주되, 휴가 기간의 배분은 출산 후에 45일 (다태아일 경우 60일) 이상 확보되도록 부여해야 한다.(「근로기준법」제74조)

출산전후휴가 기간에는 90일분의 통상임금을 지불해야 한다. 그중에 최대 210만 원(2024년 기준)까지는 고용지원센터에서 지급한다. 통상임금이 월 210만 원을 초과하는 경우 90일 중 60일분은 그 초과 금액을 병원에서 보조해 줘야 한다.

> **case 1) 통상임금이 300만 원인 경우**
>
> 통상임금(300만 원)-해당연도 상한액(210만 원)
> = 병원 부담(90만 원)
> 210만 원을 제외한 90만 원을 병원에서 부담해야 한다.

> **case 2) 통상임금이 190만 원인 경우**
>
> 고용지원센터가 지급하므로 병원의 부담은 없다.

이처럼 60일분의 통상임금 중 병원이 월 210만 원을 초과하는 금액을 지급해야 하는 이유는 휴가 기간 90일 중 최초 60일은 유급휴가이므로 종전과 같이 사용자가 급여를 지급할 의무가 있기 때문이다.

4대 보험

출산전후휴가를 간 직원에 4대 보험은 어떻게 처리해야 할지 어려움이 있을 수 있다. 우선 국민연금은 납부예외를 통해 납부하지 않을 수 있다 (하지만, 납부하지 않은 기간은 연금 가입 기간에서 제외).

반대로 국민건강보험은 출산전후휴가 기간 중에도 계속 납부해야 한다. 그렇지만 부담은 가질 필요 없다. 건강보험을 정산할 때 고용보험에서 받은 금액은 제외하고 정산하게 되므로 그 금액만큼은 납부하지 않는 것을 기대할 수 있기 때문이다.

04. 육아휴직 제도

필자가 직장을 다닐 때도 보면 맞벌이 부부인데 아이들이 어려서 돌봐줄 사람이 없는 경우 대부분 부부 중에 여자분이 직장을 그만두고 아이들 케어를 하는 경우가 종종 있었다. 최근에는 아무래도 이러한 부분들을 보완해 주는 여러 제도들이 있는데 그중에 육아휴직 제도가 대표적인 일자리 보장을 위한 제도이다.

육아휴직이 및 육아휴직 지원제도

육아휴직은 임신 중인 여성 근로자가 모성을 보호하거나 근로자가 만 12세 이하 또는 초등학교 6학년 이하의 자녀를 양육하기 위하여 육아휴직을 신청하는 경우 사업주는 최대 1년간 육아휴직을 허용하여야 한다.이때 사업주는 1년간 급여를 무급으로 할 수 있다. 아래 설명하는 육아휴직 지원제도는 정부가 급여 지급을 통한 가정과 직장의 양립 지원으로 근로자의 고용안정과 경제활동 참가율 제고 도모하는 제도이다.

기간	자녀 1명당 최대 1년 사용 가능
지원 금액	- 고용센터에서 최대 1년간 급여 지원 - 육아휴직 1~12개월간 : 통상임금 80%(상한액 150만 원, 하한액 70만 원) - 3+3부모 육아휴직제: 생후 12개월 이내 자녀를 대상으로 부모 모두 육아휴직 사용 시, 부모의 첫 3개월 육아휴직 급여를 통상임금의 100%(상한 200~300만 원*)으로 지급 * 첫 1개월: 200만 원, 첫 2개월: 250만 원, 첫 3개월: 300만 원 상한 - 한 부모 근로자 육아휴직급여 : 첫 3개월은 통상임금 100%(상한 250만 원), 4개월 이후 통상임금 80%(상한 150만 원)
신청 방법	육아휴직 신청(근로자) → 육아휴직 부여 및 확인서 발급(사업주) → 육아휴직 급여 신청(근로자) → 지급 요건 심사(고용센터) → 급여 지급 (가까운 고용센터를 방문하거나 온라인, 우편으로 신청)
구비 서류	육아휴직 급여 신청서 (근로자) 육아휴직 확인서 1부 (사업주) 통상임금을 확인할 수 있는 증명자료

4대 보험

육아휴직을 간 직원의 4대 보험은 어떻게 처리해야 하는지 어려울 수 있다. 육아휴직을 갔을 때는 국민연금은 납부예외를 통해 납부하지 않을 수 있다. 단, 이때 납부하지 않은 기간은 연금 가입 기간에서 제외된다.

국민건강보험은 납부를 유예할 수 있으며, 유예한 보험료는 복직 후 휴직 전월 보수월액(상한 250만 원) 기준으로 산정한 보험료의 60% 감면된 금액으로 소급하여 납부하면 된다.

육아휴직 제도를 제공하면서 금액적인 부담이 있어 꺼려 할 수도 있다. 하지만 기업 입장에도 유능한 인력을 확보할 수 있도록 지원하는 역할도 한다. 육아휴직을 준 기업에게 육아휴직 장려금과 대체 인력 채용 장려금을 줌으로써 부담을 줄여주고 있다.

육아휴직 지원금

○ (일반지원) 육아휴직을 사용한 근로자 1인당 매월 30만 원을, 육아휴직 기간(최대 1년) 동안 지급한다.

○ (특례 지원)만 12개월 이내(임신 중 포함) 자녀를 대상으로 3개월 이상 연속하여 육아휴직을 허용한 경우, 첫 3개월 동안은 매월 200만 원을 지급(특례 지원)하며, 이후부터 월 30만 원을 지급한다.

즉, 육아휴직자 1명당 회사가 최대로 지원받을 수 있는 지원금은 1년간 870만 원이다. ((200만 원 × 3개월) + (30만 원 ×

9개월)).

육아기 근로시간 단축 지원금

육아기 근로시간 단축을 사용한 근로자 1인당 매월 30만 원을, 최대 1년간 지급한다.

단, 회사에서 최초로 육아기 근로시간 단축을 허용한 경우 세 번째 허용 사례까지는 매월 10만 원의 인센티브를 추가하여 월 40만 원을 지원한다.

즉, 육아기 근로시간 단축자 1명당 회사가 최대로 지원받을 수 있는 지원금은 1년간 480만 원(40만 원×12개월).

1) 우선지원대상기업으로서, 2) 근로자에게 30일 이상의 육아 휴직 등을 허용한 경우 신청할 수 있으며, 3) 지원금의 50%는 육아휴직 등의 시행 기간 중 3개월 단위로 신청하며, 나머지 50%의 지원금은 육아휴직 등이 종료된 후 근로자가 복귀하여 6개월 이상 계속 근무한 것이 확인된 경우에 일시금으로 지급한다.

대체 인력 지원금

- 근로자에게 출산전후휴가, 유산·사산 휴가 또는 육아기 근로시간 단축을 30일 이상 부여하거나 허용하고 새로 대체인력을 채용한 후 30일 이상 계속 고용한 우선지원대상기업 사업주에

게 대체인력 1인에 대해 월 80만 원(업무 인수인계 기간 월 120만 원) 지원한다.

05. 실업급여(구직급여)

실업급여를 받기 위해서는 반드시 자발적 퇴직이 아닌 회사의 경영상으로 어려움으로 인한 권고사직이 원인이 되어야 한다. 가끔 사무실 직원이 자발적으로 그만두고 실업급여를 받기 위하여 권고사직으로 바꿔 달라고 요청하는 경우가 있다. 이러한 경우 실제 사유가 경영상 어려움으로 권고사직이라면 바꿔 줘도 된다.

실업급여란?

실업급여란, 고용보험 가입 근로자가 비자발적 사유로 이직하여 재취업 활동을 하는 기간에 구직급여 등을 지급함으로써 생활 안정 및 조속한 노동시장 복귀 지원제도이다. 고용보험 적용 사업장에서 경영상 해고 등 비자발적으로 이직한 피보험자로서, 이직일 이전 18개월간 피보험 단위 기간 180일 이상 근무하고, 근로의 의사와 능력이 있음에도 불구하고 실업한 상태에서 적극적으로 재취업 활동을 하는 사람(일용근로자의 경우 수급 자격 인정 신청일이 속한 달의 직전 달 초일부터 수급 자격 인정 신청일까지의 근로일 수의 합이 같은 기간 동안의 총 일수의 3분의 1 미만일 것)에게 지원을 해주고 있다.

그러니 실제로 실업급여는 이직일 이전 18개월간 피보험 단위 기간이 통산하여 180일 이상인 근로자가 권고사직, 계약만료, 원거리 출근, 경영 악화 등의 비자발적 사유로 인해 퇴사했을 때 즉, 실제 퇴사 사유가 이러한 경우라면 권고사직 처리된 근로자가 실업급여를 신청하는 것은 병원과 관련이 없으니 혹시라도 병원이 불이익을 얻을까 걱정할 필요 없다.

그러나 만약 이라도 개인적으로 실제 퇴사 사유와 상관없이 실업급여 수급을 위해 퇴사사유를 임의로 신고하는 경우 부정수급에 해당되어 수급 금액 반환은 물론 부정수급 금액의 최대 5배가 추가 징수될 수 있으며, 최대 5년 이하의 징역 또는 5천만 원 이하의 벌금이 부과될 수 있다. 또한, 부정수급을 받거나 받으려고 한 날로부터 소급 10년간 3회 이상 실업급여 지급이 제한된 경우, 최대 3년간 새로운 실업급여 지급이 제한된다.

06. 권고사직 vs 해고

직원을 채용하게 되면 직원이 병원에 도움이 되지 않는 직원으로 판단이 되는 경우가 생긴다. 이때 직원이 혹시 분쟁을 일으킬 수 있기 때문에 걱정이 된다. 퇴직을 시키고 싶을 때 권고사직을 해야 할까? 해고를 해야 할까?

권고사직

권고사직이란 근로자가 자신의 의사가 아닌 회사 경영난이나 사정 등을 이유로 회사로부터 사직을 권유받아 사표를 제출하여 퇴직하는 것을 말한다. 권고사직은 해고가 아니기 때문에 절차나 시기에 대한 제한은 없다. 하지만, 병원에서 퇴사하는 근로자의 사직서를 반드시 받아야 향후 분쟁하더라도 대비할 수 있다. 병원과 근로자 사이에서 원만한 퇴직을 할 수 있는 제도다.

해고

해고란 근로자의 의사와 상관없이 사용자의 일방적인 의사표시로 근로관계가 종결되는 것을 말한다. 「근로기준법」 제23조에는 사용자가 정당한 이유 없이 근로자를 해고할 수 없음을 명시해 근로자가 불이익을 당하지 않도록 하고 있으며 이는 근로자자 5인 이상 있는 모든 사업장에 적용된다.

해고를 하게 되는 경우에는 권고사직과 다르게 절차를 밟아야 한다. 사용자는 근로자를 해고(경영상 이유에 의한 해고를 포함) 하려면 적어도 30일 전에 예고를 해야 하고, 30일 전에 예고를 하지 않았을 경우에는 30일분 이상의 통상임금(해고예고수당)을 지급해야 한다(규제「근로기준법」제26조 본문). 만약 해고예고를 위반하게 되면 2년 이하의 징역 또는 2천만 원 이하의 벌금에 처해진다(「근로기준법 제110조 제1호).

해고를 하기 위해서는 서면으로 이를 통지해야 하는데 근로기준법」제27조 1항 사용자는 근로자를 해고하려면 해고 사유와 해고 시기를 서면으로 통지해야 한다. 특히 5인 이상의 사업장은 해고 사유를 꼭 서면으로 통지해야 한다. 하지만, 4인 이하의 사업장은 근로자를 해고할 수 있는 요건을 갖추지 못한 경우라도 해고할 수 있다.

이렇게 해고를 하기 위해서는 '해고예고'를 해야 한다. 이 해고예고의 예외 사항도 있다. 크게 세 가지로 구분된다. 「근로기준법」 제26조
① 근로자가 계속 근로한 기간이 3개월 미만인 경우
② 천재 사변, 그 밖의 부득이한 사유로 사업을 계속하는 것이 불가능한 경우
③ 근로자가 고의로 사업에 막대한 지장을 초래하거나 재산상 손해를 끼친 경우로서 다음의 어느 하나에 해당하는 경우

해고는 권고사직과 다르게 절차를 제대로 밟아야 한다. 제대로 된 해고 절차를 밟지 않고 해고를 하게 되면 차후에 부당해고에 대한 분쟁이 일어날 수 있다. 해고 후 근로자의 부당해고 구제신청이 발생하는 경우 근로자를 복직시켜야 하거나 해고 기간 동안의 급여나 합의금을 지급해야 할 수도 있다.

07. 연말정산

중간에 입사한 직원

연말정산을 계산할 때면 보통 1월부터 계산하게 된다. 하지만 중간에 입사한 직원의 경우, 연말정산을 할 때 이전 직장의 근로소득 원천징수 영수증을 받아 합산하여 신고해야 한다. 병의원의 경우 실수령 계약을 하는 경우가 있는데 이런 경우에는 원장이 근로소득세와 지방소득세를 모두 부담해야 한다. 그러니 중간에 입사한 직원에게는 연말정산 추가 납부세액 발생 시 그 납부 책임에 대한 설명이 필요하다. 특히 페이닥터는 급여가 높기 때문에 세금 문제는 확실하고 명확하게 하는 것이 좋다.

과다 공제 (부당 공제)

사업자 입장에서는 소득공제를 통해 직원들에게 돈을 더 많이 돌려주고 싶은 마음이 생기기 마련이다. 하지만 연말정산을 할 때 소득공제를 실제와 다르게 신청하여 과다 공제를 받게 되면 과소 납부한 세액과 같이 신고불성실가산세와 납부불성실가산세를 추가로 부담해야 하기 때문에 주의해야 한다. 만약 과다 공제(부당 공제)가 적발되면 바로 산출 세액의 10% 또는 40%가 적용된다.

이러한 문제를 해결하기 위해서 국세청은 '연말정산 소득공제 관리 시스템'을 구축하여 연말정산 신고 내역을 전산으로 분석하여 과다 공제 내역이나 중복공제 등을 국세 통합전산망으로 관리하고 있다.

08. 법정 퇴직금

퇴직금이란 퇴직금은 한 사업장에서 1년 이상 계속 근로한 근로자가 받을 수 있으며, 1년을 일하면 30일분 이상의 평균임금을 받을 수 있게 되는 제도이다. 병원도 개원하고 1년이 지나면 퇴직하는 직원들이 생기게 될 것이다. 이러한 점에서 퇴직금을 어떻게 지급해야 하는지 절차나 방법, 계산 방법 등을 알아둬야 한다.

퇴직금의 최저한도는 법으로 정해 놓았다. 계속 근로기간 1년에 최저 30일분의 평균임금을 지급해야 한다. 법정 퇴직금을 산출하는 공식은 다음과 같다.

퇴직금의 법정 최저한도 = 1일 평균임금 x 30일 x 계속근로연수

퇴직금 산정 공식은 다음과 같다.

퇴직금 = 1일 평균임금 × 30일 × (재직일수 ÷ 365)

간혹 특별한 사정으로 평균임금이 현저히 적거나 많은 경우가 있다. 이런 경우 평균임금을 어떻게 산정해야 하는지 어려움이 있을 수 있다. 판례를 살펴보면 "그 사유가 발생한 날 이전 3개월간에 그 근로자에게 지급된 임금의 특별한 사유로 통상의 경우보다 현저하게 적거나 많을 경우에도 이를 그대로 평균임금 산정의 기초로 삼는다면, 이는 근로자의 통상의 생활을 종전과 같이 보장하려는 제도의 근본 취지에 어긋난다"라는 판례가 있다. 그러므로 평균임금을 산정하게 되면 이러한 사실을 고려해야 한다.

퇴직금을 산출하기 위해 평균임금을 산정할 때 특별한 사정으로 평균임금이 현저히 적거나 많았던 금액은 전부 포함해서 산정하지 않아도 된다. 또 퇴직으로 인해 지급 사유가 발생한 연차 유급휴가, 미사용 수당 같은 특정 금액은 평균임금 산정에서 제외된다.

- 근로계약을 체결하고 수습 중에 있는 근로자가 수습을 시작한 날부터 3개월 이내의 기간
- 고용주의 귀책사유로 휴업한 기간
- 출산전후휴가 및 유산·사산 휴가 기간
- 업무상 부상 또는 질병으로 요양하기 위해 휴업한 기간
- 육아휴직 기간
- 파업·태업·직장폐쇄 등의 쟁의행위기간
- 병역의무를 이행하기 위해 휴직하거나 근로하지 못한 기간(임금을 지급받은 경우에는 제외)
- 업무 외 부상이나 질병, 그 밖의 사유로 고용주의 승인을 받아 휴업한 기간

퇴직 후 14일 이내 지급

고용주는 근로자가 퇴직한 경우에 그 지급 사유가 발생한 날부터 14일 이내(특별한 사정이 있는 경우에는 당사자 간의 합의에 따라 지급기일을 연장할 수 있음)에 퇴직금을 지급해야 한다.(규제「근로자퇴직급여 보장법」 제9조 제1항).

퇴직금은 퇴직 사유가 발생한 날로부터 14일 이내에 지급해야 한다. 단, 특별한 사정이 있는 경우 당사자 간의 합의에 의해 그 지급기일을 연장할 수도 있다.

2010년 12월 1일부터 근로자 1인 이상의 모든 사업장으로 퇴직금 지급이 전면 확대되었으므로 현재 5인 미만 사업장도 2010년 12월 1일을 계속 근로기간의 기산 시점으로 하여 1년 이상 근무한 근로자에게도 퇴직금을 지급해야 한다.(단, 2012년 12월 31일까지는 퇴직금 부담금의 50%만 지급 허용).

근속연수 1년에 대해 30일분의 평균임금이 퇴직금으로 지급된다. 하지만, 매달 같은 금액을 지급하는 경우는 드물기 때문에 1년 내내 동일한 금액을 지급했다 하더라도 퇴직 시점에 따라 그 금액이 변동될 수 있기 때문에 퇴직금을 포함한 금액을 연봉으로 정해 근로계약을 맺는 것은 바람직하지 않다. 그럼 금액을 어떻게 산정해야 하냐면 실제 12개월분의 급여만을 명시한 근로계약서를 작성하는 게 바람직하다.

퇴직연금제도

퇴직연금이란 근로자들의 노후소득 보장을 위해 근로자 재직기간 중 사용자가 근로자의 퇴직급여를 금융기관에 적립하고, 이 적립금을 사용자(DB) 또는 근로자(DC)가 운용하다가 55세 이후에 연금 또는 일시금으로 수령할 수 있도록 하는 제도이다.

퇴직연금 가입 시 병원은 사용자가 매년 불입하는 시점마다 비용 처리할 수 있기 때문에 비용처리 측면에서도 용이하고, 직원 퇴사 시점에 퇴직금 지급으로 목독의 부담도 덜 수 있다.

구분	확정급여형(DB)	확정기여형(DC)
개념	근로자가 퇴직할 때 받을 퇴직급여가 사전에 확정된 퇴직연금 제도 - 사용자가 매년 부담금을 금융회사에 적립하여 책임지고 운용하며, 운용 결과와 관계없이 근로자는 사전에 정해진 수준의 퇴직급여를 수령	사용자가 납입할 부담금(매년 연간 임금 총액의 1/12 이상)이 사전에 확정된 퇴직연금제도 - 사용자가 근로자 개별 계좌에 부담금을 정기적으로 납입하면, 근로자가 직접 적립금을 운용하여 사용자가 납입한 부담금과 운용손익을 최종 급여로 지급받는 것
추가 적립	개인 부담금 없음	가능
운용 책임	사용자	근로자
위험부담	사용자	근로자
사용자 세무 처리	퇴직급여충당금 한도 내 100% 사외 적립 손비 인정	납입 부담금 전액 손비 인정
급부	확정(계속근로기간 1년에 대하여 30일분의 평균임금 이상)	운영 실적에 따름
원천징수 의무 (일시금 수령 시)	사용자	퇴직연금사업자

09. 퇴직금 중간 정산

퇴직금 중간 정산이란

근로자가 퇴직금 중간 정산 사유로 퇴직하기 전에 계속 근로 기간에 대한 퇴직금을 미리 정산하여 지급받을 수 있는 것을 말한다.(규제「근로자 퇴직급여 보장법」 제8조 제2항 전단). 근로자가 퇴직금 중간 정산을 요구한다고 해서 의무적으로 퇴직금을 지급해야 하는 것은 아니다. 사전에 지급 여부를 확인하고 거절할 수도 있다.

퇴직금 중간정산 사유

고용주는 다음의 사유로 근로자가 요구하는 경우에는 근로자가 퇴직하기 전에 해당 근로자의 계속 근로기간에 대한 퇴직금을 미리 정산하여 지급할 수 있다(「근로자퇴직급여 보장법」 제8조 제2항 전단). 퇴직금 중간 정산 사유와 같은 경우는 「근로자 퇴직급여 보장법 시행령」제3조에 규정하고 있는 사유가 발생했을 때 퇴직금 중간 정산이 가능하다.

1. 무주택 근로자가 본의 명의의 주택을 구입하는 경우

2. 무주택 근로자가 주거 목적으로 전세금 또는 보증금을 부담하는 경우(당해 사업장에서 1회에 한정한다.)

3. 6개월 이상 요양을 필요로 하는 본인, 배우자, 부양가족의 질병이나 부상에 대한 요양 비용을 근로자가 부담하는 경우

4. 최근 5년 이내 파산선고를 받거나 개인회생 절차 개시 결정을 받은 경우

5. 임금피크제를 실시하여 임금이 줄어드는 경우

6. 근로 시간의 단축으로 근로자의 퇴직금이 감소되는 경우

7. 천재지변으로 고용노동부 장관이 정한 사유와 요건에 해당하는 경우

10. 페이닥터 근로소득 vs 사업소득

페이닥터를 채용할 때 신고 유형이 크게 두 가지가 있다. ① 근로소득 ② 사업소득 둘 중 사업자 입장에서 보면 사업소득으로 신고하게 되면 4대 보험과 원천징수에 대한 부담이 적어 좋을 것이라고 생각할 수 있다. 하지만 단순하게 생각해서 볼 수 있는 문제가 아니다.

근로소득

근로소득이란, 근로자가 고용계약이나 고용관계에 의하여 근

로를 제공하고 받는 모든 대가를 가리킨다. 근로기준법 제2조 1항에 따르면 '근로자란 직업의 종류와 관계없이 임금을 목적으로 사업이나 사업장에 근로를 제공하는 사람'이라고 명시하고 있다. 법률상으로는 근로기준법의 적용 대상이 될 수 있는 모든 근로자의 소득을 근로소득이라고 할 수 있다.

사업소득

사업소득이란, 개인이 직접 또는 간접으로 사업을 운영하여 얻는 순이익을 의미한다.

근로소득과 사업소득의 구분은 소득자를 기준으로 판단한다. 대부분의 페이닥터들은 병원에 귀속되어 병원 원장님의 지시를 받고 일하는 근로자로서 한 병원에만 지속적으로 용역을 제공하므로 근로자로 판단된다. 따라서 가끔 원장님들은 4대 보험을 부담하지 않기 위해서 페이닥터를 사업소득자로 하여 사업소득으로 신고하는 경우가 종종 있다. 이렇게 하는 경우 당장은 세무서가 알 수 없지만, 세무조사 등으로 이러한 사실이 밝혀진 경우 근로소득세를 한꺼번에 징수하거나, 4대 보험공단과 소득금액이 연계되어 4대 보험을 한 번에 청구하는 경우가 있으므로 될 수 있으면 실체에 맞게 신고하는 것이 맞다. 다만, 계속 반복적으로 여러 병원들에 용역을 제공하거나 진료나 수술 건수에 따라 보수를 산정하여 지급하는 경우 사업소득으로 신고할 수 있다. 이렇게 되면 페이닥터가 4대 보험을 100% 부담하여야

하며, 근로자로서 연말정산이 아닌 5월에 종합소득세를 신고할
의무가 있다.

제6장

절세관련 세액공제

제6장 절세 관련 세액공제

01. 통합투자세액공제

통합투자세액공제는 개원 시 기본적으로 검토하고 반영하는 세액공제다. 통합투자세액이란 기업의 투자를 촉진·확대 시키기 위해 만들어진 제도이다. 의원을 개원하게 되거나 이외에도 의료기기를 구입하게 될 것이다. 그렇게 되면 의료기기의 가격이 만만하지 않기 때문에 부담이 갈 것이다. 이때 '통합투자세액공제'를 통해 세금 감면을 해서라도 부담을 덜 수 있다.

{당해 연도 투자액 × 공제율} + {(당해 연도 투자액 − 직전 3년 평균 투자액) × 3%(국가전략 4%)}

구분	중소기업	중견기업	대기업
일반	10%	5%	1%
신성장 원천기술 사업화시설	12%	6%	3%
국가전략 시술 사업화시설 (21.07.01~24.12.31)	16%	8%	8%

통합투자세액공제는 의료기기(중고품 제외)를 구입하면 구입액의 10% (중소기업 기준)를 감면받을 수 있다. 하지만 이 세액공제는 수도권과밀억제권역 외의 지역에서의 투자만 가능하고, 수도권과밀억제권역 내의 병의원은 기존 의료기기를 신규로 대체한 경우에만 해당한다는 조건이 있다. 여기서 주의할 점은 세액공제액의 20%가 농어촌특별세로 부과되고 공제받은 후 해당 의료기기를 2년 이내 매각하면 공제액이 추징된다는 점이다. 의료기기를 새로 구입할 예정이거나 구입을 하게 되었다면 반드시 통합투자세액공제를 검토해 보는 것을 추천한다.

1. 투자 완료일로부터 2년 내에 해당 자산을 처분, 임대한 경우
2. 투자 완료일로부터 5년 내에 해당 자산을 다른 목적으로 전용한 경우

사후관리는 위와 같은 사유가 발생했을 때 세액공제받은 과세연도에 세액공제액과 이자상당액 (일수 x 0.022%)을 가산하여 법인세 소득세로 납부하여야 한다.

> ### 수도권과밀억제권세역이란?
>
> ① 서울특별시
> ② 인천광역시(일부지역 제외)
> ③ 의정부시, 구리시, 남양주시(일부지역제외), 하남시, 고양시, 수원시, 성남시, 안양시, 부천시, 광명시, 의왕시, 궁포시, 시흥시(반월특수지역제외)

번외. 통합투자세액공제

통합투자세액공제란 통합 투자세액공제의 기본 공제율은 기업 규모 별로 1~10%로 정해져 있다. (대기업은 투자액의 1%, 중견기업은 3%, 중소기업은 10%를 소득세 또는 법인세 납부 시 돌려받을 수 있다.) 즉, 병원에서 의료기기 등 법에서 정하는 사업용 유형자산을 취득하는 경우에는 투자금액의 10%를 납부할 소득세에서 기본 공제한다. 단, 아래의 경우에는 감가상각비 및 리스 이자에 대한 비용처리 이외에 세액공제 혜택은 받을 수 없다.

1. 중고품 구입 또는 리스
2. 새 제품 리스 (단, 금융리스는 가능)
3. 병원의 소재지가 아래의 수도권과밀억제권역인 경우

02. 고용증대세액공제

고용증대세액공제는 개원 시 반드시 우선적으로 반영해야 하는 세액공제다. 고용증대세액공제란 기업의 고용 및 일자리 창출을 유도하기 위해 도입된 제도로, 기업의 근로자 고용을 통해 늘어난 근로자 수에 일정 금액을 곱한 만큼의 세액을 소득세·법인세에서 공제 [조세특례제한법 제29조의 7]를 말한다. 쉽게 말해서 고용을 하게 되었을 때 일정 액수의 세액을 공제받을 수 있는 제도이다. 병의원의 경우에는 세액공제액이 크고 적용이 가능하기 때문에 반드시 반영 여부를 검토해야 한다. 고용증대세액을 받기 위해서 우선, 전년도에 고용한 직원 대비 증가한 직원 수를 월할 계산하여 산출하여야 한다.

※ 사업장 소재지와 직원 구분(청년 여부 등)에 따라 공제하는 금액의 차이가 있다. ※

구분	수도권	그 외지역
일반근로자	700만원	770만원
청년, 장애인, 60세 이상	1,100만원	1,200만원

▲ 병의원 고용증대세액 공제금액(중소기업 기준)

위에 있는 표를 통해 계산하는 방법은 어렵지 않다. 일반 근로자와 청년과 같은 근로자를 구분하고 고용하고 있는 근로자 수에 곱하면 공제 금액을 알 수 있다. 세액공제받은 해로부터 2년 이내 고용 인원이 감소한 경우 그 인원 비율만큼 추징세액이 발생하기 때문에 일시적으로 고용 인원이 증가한 경우인지 확인 후 공제 여부를 판단하는 것이 좋다. 근로자를 고용하는 사업자로서 가장 고민이 많이 되고 비용도 많이 드는 부분인 만큼 고용증대세액공제는 반드시 개원 시에 우선적으로 반영해야 하는 세액공제다.

03. 사회보험세액공제

개업이나 직원 수가 증가하면 사회보험세액공제 반영을 검토해야 한다. 사회보험세액공제란 고용이 증가한 인원의 사회 보험료를 기업의 법인세(소득세)에서 공제해 주는 제도이다. 사회보험세액공제는 상시 근로자 수가 직전 과세 연도의 상시 근로자 수보다 증가한 경우에 적용 가능하다. 공제 기간 동안 상시 근로자 수가 감소하는 경우 공제받은 세액이 추징될 수 있다는 점을 주의해야 한다.

구분	공제금액
청년 및 경력 단절 여성 직원	증가 인원의 사회 보험료 부담 금액 × 100%
그 외 직원	증가 인원의 사회 보험료 부담 금액 × 50%

개업을 하거나 직원 수가 증가했다면 사회보험세액공제 반영을 검토해 봐야 한다.

04. 중소기업 특별세액감면

    보험 진료 위주 작은 규모 의원이라면 중소기업 특별세액감면을 검토해야 한다. 중소기업 특별세액감면이란 과세소득 규모와 상관없이 대상 업종의 중소기업에게 5%에서 30%의 세액을 감면해 주는 것이다.

▼ 대상 업종 ▼

> 1. 작물재배업
> 2. 축산업
> .
> .
> .
> .
> 26. 자동차정비공장을 운영하는 사업
> 27. 선박관리업
> **28. 의료기관 운영사업**
> 29. 관광사업(카지노, 관광유흥음식점업 및 외국인 전용
>   유흥 음식점업은 제외)
> 30. 노인복지시설 운영 사업

    중소기업 특별 세액공제는 비보험 매출 비율과 매출 규모가 작은 병의원이 반영 가능한 공제 항목이다. 요건은 전체 매출의 80% 이상이 요양급여고, 종합소득 금액이 1억 원 이하인 경우에 해당한다. 소득 금액의 10%가 감면 가능하다.

단, 다음과 같은 한도가 적용되니 참고하기를 바란다.

> 해당 과세연도 상시 근로자 수가
>
> 직전 과세연도 상시 근로자 수보다 감소한 경우
>
> : 1억 원 - (감소한 상시 근로자 수 × 500만 원)
>
> 그 외 : 1억 원

보험 진료 위주 작은 규모 의원이라면 중소기업 특별세액감면을 검토해 봐야 한다.

05. 절세금융상품

설명해 드릴 절세 금융상품으로는 첫 번째, 소기업소상공인동제부금(노란우산공제) 두 번째, 퇴직연금 보험이 있다. 은행에서 대출이나, 개원 후 보험 병의원에서 보험 가입 등의 영업 권유를 많이 받게 된다. 그중 기억해야 할 절세상품은 딱 두 가지다. ① 소기업소상공인동제부금(노란우산공제) ② 퇴직연금보험

구분	소기업소상공인공제부금 (노란우산공제)	퇴직연금보험
공제 혜택	불입금액 전액 소득공제 (한도 250만 원/연)	불입금액의 12% 세액공제 (한도 700만 원/연)
가입 방법	은행 또는 중소기업중앙회	은행 또는 보험 병의원
수급 방법	휴업 또는 폐업	만 55세 이상

퇴직연금 보험

금융 상품	퇴직연금
주요 판매 회사	은행 증권사 보험사 근로복지공단
구분	세액공제
세제 혜택	1) 총 급여액이 5,500만 원 이하이거나 종합소득 금액이 4,500만 원 이하인 경우 연간 900만 원 한도 내에서 16.5% 세액공제 2) 총 급여액이 5,500만 원 초과이거나 종합소득 금액이 4,500만 원 초과인 경우 연간 900만 원 한도 내에서 13.2% 세액공제

가입 대상	1) 퇴직연금(DB형, DC형) 가입된 직장근로자로서 추가적인 퇴직연금을 준비하려는 자 2) 직장이동 등으로 퇴직금을 수령하여 IRP 계좌로 운용하려는 자 3) 자영업자, 직역연금 가입자 등
가 입 한도	연금 계좌 납입 한도는 연금저축과 퇴직연금을 합산하여 연 1,800만 원 + ISA계좌 만기 시 연금 계좌 전환 금액+1주택 고령가구(부부 중 1인 60세 이상)가 가격이 더 낮은 주택으로 이사한 경우 그 차액

소기업소상공인공제부금 (노란우산공제)

사회안전망

법률에 의해 도입되어
중소기업중앙회가 운영하고,
중소기업청이 감독하는
공적 공제제도

소득공제

기존 소득공제상품과
별도로 최대 연500만원까지
추가 소득공제 가능

채권압류보호

법에 의해 압류가 금지되어
있어 폐업등의 경우에도
안전하게 자금 활용

목돈마련

납입원금 전액 적립에
복리이자 적용으로 일시금 또는
분할금 형태로 목돈 마련

노란우산공제 가입대상	
업종	3년 평균 매출액
제조업(의료용 물질·의약품 등 15개)	120억원 이하
전기·가스·수도사업	
보건, 사회복지서비스	10억원 이하
개인서비스업, 교육서비스업, 숙박·음식점업	

금융상품	소기업소상공인공제부금 (노란우산공제)
세제 혜택	1) 공제금에 대한 수급권보호 2) 연간 최대 500만 원 소득공제 3) 일시/분할금으로 목돈 마련 4) 공제계약 대출(부금 내 대출)을 통한 자금 활용 5) 무료 상해보험 가입
공제부금 종류	월납기준 5만 원부터 100만 원까지 1만 원 단위

06. 교육비·의료비 세액공제

근로소득자는 연말정산 시 보험료, 교육비, 의료비 등의 세액공제를 받을 수 있다.(소득세법 제59조의 4). 사업소득자는 원칙적으로 사업과 관련 없는 지출인 보험료, 교육비, 의료비 등에 대해서는 공제받지 못한다. 하지만 성실신고확인 대상자는 교육비와 의료비를 세액공제 받을 수 있다 (조세특례제한법 제122조의 3).

구분	공제대상 및 한도	세액공제율
교육비	- 본인 및 가족이 교육기관에 지출하는 교육비 - 본인을 위한 교육비 지출에는 한도가 없고 부양가족을 위한 지출은 고등학교까지는 연 300만 원, 대학교는 연 900만 원 한도	15%
의료비	- 본인 및 가족이 질병 치료를 위해 지출하는 의료비 소서 소득금액의 3%를 초과하는 금액 - 본인을 위한 의료비 지출에는 한도가 없고 부양가족을 위한 지출은 연 700만 원 한도	15%

교육비 세액공제

① 공제대상 및 금액

구분		세액공제 대상금액 한도
일반 교육비	본인	한도 없음
	부양가족 (나이 제한 없음)	● 취학 전 아동, 초·중·고등학생 : 1명당 연 300만 원 ● 대학생 : 1명당 연 900만 원(대학원생은 공제 대상 아님)
장애인 특수교육비 (직계존속 포함, 소득제한 없음)		한도 없음

② 세액공제 혜택

교육비 납입 금액의 15% 세액공제

③ 구비서류

교육비 납입증명서 (연말정산 간소화 서비스에서 조회 가능)

의료비 세액공제

총급여액(사업소득 금액)의 3%를 초과하는 금액이 의료비 세액
공제 대상이다.

① 의료비 세액공제 대상 금액 한도 및 세액공제율

구분	세액공제 대상 금액 한도	세액공제율
일반 기본공제 대상사 의료비	연700만 원 한도	15%
본인·6세 이하 ·65세 이상·장애인 의료비	한도 없음	15%
미숙아·선천성이상아	한도 없음	20%
난임시술비	한도 없음	30%

② 의료비로 공제되지 않는 비용

o 의료비 지출액 중 실비보험 등으로 보전받은 금액

o 국민건강보험공단으로부터 받은 본인부담금상한제 사후 환급
금

o 외국 소재 의료기관에 지출한 비용

o 간병인 지급 비용

o 미용·성형 수술을 위한 비용 및 건강증진 의약품 구입비용 등

07. 벤처기업 투자 소득공제

1. 엔젤 투자 소득공제

창업 및 벤처기업의 투자를 활성화하기 위해 신규로 투자하는 경우, 투자인 거주자의 종합소득세 계산 시 그 투자 금액의 일부를 소득공제 적용함.

2. 투자 대상기업

직접투자의 경우

① 개인 투자조합에 출자한 금액을 창업·벤처기업에 투자

② 「벤처기업육성에 관한 특별조치법」에 따라 벤처기업 등에 직접 투자하는 경우

③ 온라인 소액 투자 중개의 방법으로 모집하는 창업중소기업으로서 기업의 지분증권에 투자

전문 투자의 경우

④ 벤처투자조합, 신기술 사업투자조합 또는 전문 투자조합에 출자

⑤ 벤처기업 투자신탁의 수익증권에 투자

⑥ 창업·벤처 전문 경영 참여형 사모집합투자기구에 투자

3. 소득공제 비율 및 한도

직접투자의 경우

번호	투자 금액	소득공제율	종합한도
1	3천만 원	투자 금액 100%	종합소득 금액의 50%
2	3천~5천만 원	투자 금액 100%	
3	5천만 원 초과	투자 금액 30%	

전문 투자의 경우

투자금액과 상관없이 투자금액의 10% 소득공제가 된다.(종합한도는 동일)

4. 유의 사항

1) 투자일로부터 3년까지 유지해야 함

2) 타인의 출자지분을 양수하는 방법은 불가능

3) 거주자가 투자한 과세연도 혹은 선택한 과세연도(최대 2년)의 종합소득세 계산 시 소득공제 적용 가능

> **TIP.**
> MSO법인(가족법인) 설립하여 엔젤투자요건을 갖춘경우 소득공제 가능하다.

08. 연구개발비 세액공제

연구요원 대상자

기업 규모 등에 관계없이 모두 인정되는 경우 [기초연구진흥 및

기술 개발지원에 관한 법률 시행규칙 제2조 제3항]
- 자연계(자연과학·공학·의학계열) 분야 학사 이상인 자
- 국가 자격법에 의한 기술·기능 분야 기사 이상인 자

중소기업에 한해 인정되는 경우
- 자연계 분야 전문 학사로 2년 이상 연구 경력이 있는 자(3년
  제는 1년 이상)
- 국가 기술자격법에 의한 기술·기능 분야 산업기사로 2년 이상
  연구 경력이 있는 자
- 마이스터고 또는 특성화고 졸업자로 4년 이상 연구 경력이
  있는 자
- 기능사 자격증 소지자의 경우 경력 4년 이상 연구 경력이 있
  는 자
※ 창업 3년 미만 소기업: 대표이사가 연구전담요원 자격을 갖
춘 경우 연구전담요원 인정가능

중견기업에 한해 인정되는 경우
- 중소기업 당시 연구전담요원으로 등록되어 해당 업체에 계속
  해서 근무하는 경우는 중소기업에 한해 인정되는 자격을 중견
  기업이 되었어도 인정

산업디자인 분야 및 서비스 분야를 주업종으로 하는 경우
[기초연구진흥 및 기술 개발 지원에 관한 법률 시행규칙 제2조 제4항]

- 자연계 분야 전공자가 아니더라도 가능
- 학사 이상인 자
- 전문 학사로 2년 이상 연구 경력이 있는 자
- 국가기술자격법 제9조 제2호에 따른 서비스 분야 1급 이상의 자격을 가진자
- 국가기술자격법 제9조 제2호에 따른 서비스 분야 2급 소유자로서 2년 이상 연구 경력이 있는 자

물적 요건

독립된 연구 공간

○ 사방이 다른 부서와 구분될 수 있도록 벽면을 고정된 벽체로 구분하고 별도의 출입문을 갖춘 독립공간을 확보해야 함

○ 면적은 객관적으로 볼 때 해당 연구소에서 연구 기자재를 구비하고 연구원이 관련분야의 연구개발을 수행하는 데 적절한 크기를 확보해야 함

○ 다음의 경우에 한하여, 연구소/전담 부서가 면적 50㎡ 이하인 연구 공간을 별도의 출입문을 갖추지 않고 다른 부서와 칸막이 등으로 구분하여 운영할 수 있음(연구소/전담 부서 현판을 칸막이에 부착)

● 과학기술 분야 및 서비스 분야 중기업, 소기업, 연구원 창업 중소기업, 벤처기업 기업부설 연구소 및 연구개발 전담 부서

● 서비스 분야 대기업, 중견기업, 연구개발 전담 부서 (정보서비스 또는 소프트웨어 개발공급 업종만 해당)

※ 연구 기자재: 연구 전담요원 또는 연구 보조원이 연구개발용으로만 사용하는 연구전용 기자재로서 연수고/전담 부서 내에 위치하고 있어야 함

> – 최초로 중소기업에 해당하지 않게 된 과세연도의
>   개시일부터 3년 이내에 끝나는 과세연도까지 15%
> – 3년 이후부터 2년 이내에 끝나는 과세연도까지 10%

공제 비율 (중소기업)

총액 발생 기준 : 당해연도 발생액 × 25%

증가 발생 기준: (당해연도 발생액 - 직전 과세연도 발생액) × 50%

사전심사

신청인	내국법인, 거주자
신청 대상	R&D세액공제 적정 여부
신청 기한	법인세(소득세)과세표준 신고 전 (공제누락분은 경정청구, 수정신고, 기한후신고 전)
제출 서류	여구개발보고서, 연구개발비명세서 등
사전심사	서면검토를 원칙으로 제출서류 검토 (필요한 경우, 현장확인 가능)
결과통지	서면으로 통지, 재심사 신청 가능
효력 부여	신고내용확인 및 감면사후관리 제외 과소신고 가산세 면제

「연구·인력개발비 세액공제 사전심사」검토사항

○ (기술 검토) 신청인이 수행한 연구·인력개발 활동이 「조세특례제한법」 제2조 제1항 제11호, 제12호의 "연구개발", "인력개발"에 맞는지 여부
○ (비용검토) 내국법인 및 거주자가 연구·개발에 지출한 금액이 「조세특례제한법」 제10조에 의한 공제 대상 금액인지 여부

연구·인력개발비는 '신성장동력·원천기술 연구개발비'와'일반 연구·인력개발비'로 구분되며, 세제상 혜택이 큰 '신성장동력·원천기술 연구개발비'에 대한 기술 검토는 한국산업기술진흥원에서 별도로 외부 전문가를 활용해 심사한다.

신성장동력·원천기술 연구개발비와 일반 연구·인력개발비

구분		신성장동력·원천기술 연구개발비	일반 연구·인력 개발비
정의		11개 분야 173개 기술에 대한 연구개발비	신성장동력·원천기술에 해당하지 않는 연구·인력 개발비
세정지원		① 당기에 지출한 개발비의 최대 40% 세액공제 ② 당기에 지출한 시설투자 금액의 5% 세액공제 ①+②를 세액공제	① 당기에 지출한 개발비의 최대 25% ② 전년 대비 증가한 개발지의 최대 50% ①,②중 선택하여 세액공제
검토 기관	비 용	국세청	국세청
	기 술	한국산업기술진흥원	국세청

제 **7** 장

업무용 승용차

제7장 업무용 승용차

01. 업무용 승용차 관련 비용

과거 원장님들은 고가의 승용차를 구입하여 취득가액을 감가상각 비용으로 유지 비용을 경비로 처리하면서 사용할 수 있었다. 하지만 업무용 승용차 규정이 세법 도입 이후 이러한 방법을 사용하지 못하게 되었다. 매년 업무용 승용차 사적 사용에 대한 관리를 강화하기 위해 세법이 지속적으로 개정되고 있다.

업무용 승용차 관련 비용은 업무용 승용차에 대한 감가상각비, 임차료, 유류비, 보험료, 수선비, 자동차세, 통행료 및 금융리스부채에 대한 이자비용 등 업무용 승용차의 취득·유지를 위하여 지출한 비용을 말한다.

*운전기사의 급여는 인건비 처리(업무용 승용차 관련 비용 아님)

우선 구매나 차를 이용할 때 어떤 방식으로 하는 것이 비용 절감에도 도움이 되고 절세에 도움이 되는지 어려움이 있을 수 있다. 하지만 이런 문제는 생각보다 어렵지 않다.

차량을 업무용 승용차 경비로 인정을 받으면 된다. 이러한 방법은 두 가지다.

1. 차량 운행 기록부를 작성
2. 비싼 승용차를 구입하여 처분 손실 발생

두 가지가 있지만 두 번째 방법은 추천하지 않는 방식이다. 첫 번째 방식을 사용할 때는 업무용 승용차 관련 비용을 업무 사용 비율만큼 인정받고자 하는 경우에는 업무용 승용차별로 운행 기록 등을 작성·비치하여야 하며, 신고 시에는 제출 의무가 없지만 납세지 관할 세무서장이 요구할 경우 이를 즉시 제출하여야 한다.

> 운행 기록부를 작성한 경우 (업무 전용 자동차보험을
> 가입하고 운행 기록을 작성한 경우)
>
> - 업무용 승용차 관련 비용 ×업무 사용 비율
>   (업무 사용 비율: 사업연도(과세기간)의 업무용 승용차 운행
>   기록부 등에 따라 확인되는 주행거리 중 업무용 사용 거리)

업무용 승용차의 경비 인정 금액은 2021년 세법 개정으로 운행기록부를 작성하지 않은 경우 1년에 1,500만 원을 한도로 하고 있으므로 비싼 승용차를 구입해도 필요경비가 늘어나지 않는다. 차량 운행 기록부를 작성하면 경비 인정 금액이 조금 늘어나는데 관리 노력에 비교하면 큰 금액은 아니다. 업무용 승용차가 절세상품이었으나 이제는 더 이상 그렇지 못하다고 할 수 있다. 취득비용과 유지비용을 요약 하면 아래 표와 같다.

	취득	리스 또는 렌탈	비고
취득비용	① 감가상각비	① 임차료 ② 보험료 ③ 자동차세 ④ 수선비	1년 800만 원 한도
유지비용	② 보험료 ③ 자동차세 ④ 수선비 ⑤ 유류비 ⑥ 통행료 ⑦ 금융리스 이자비용	⑤ 유류비 ⑥ 통행료 ⑦ 금융리스 이자비용	승용차별 운행기록부 작성에 따라 필요경비 인정 금액 다름 (기본 700만원)

기본적으로 업무용 승용차는 차량별로 각각 적용하는 것이다. 그러니 만약 공동사업으로 병의원을 운영하고 있는 경우 공동사업자 수만큼 업무용 승용차를 사용할 수 있는 것이다. 그렇다면 페이닥터 또한 업무용 승용차로 비용 처리할 수 있나? 그렇지 않다. 페이 닥 터가 사용하는 차량은 병의원의 자산이 아니기 때문에 감가상각비는 비용으로 인정받을 수 없다. 하지만, 유류비나 통행료 같은 차량 유지비에 대한 관련 비용은 급여 또는 복리후생비 성격으로 경비를 인정받을 수 있다.

「업무용 승용차 관련 비용 등 명세서」 제출

업무용 승용차 관련 비용을 필요경비에 산입한 병의원은 종합소득세 확정신고를 할 때 「업무용 승용차 관련 비용 등 명세서」를 제출하여야 한다.

02. 업무용 승용차 적용 대상 및 적용 시기

병의원 같은 경우에는 전문직 사업자로 구분되며, 적용 대상자에 포함되고 복식부기 의무자이다. 업무용 승용차 적용 대상자에 해당한다.

업무용 승용차 적용 대상 차량

구분	법인	개인 사업자
업무전용 보험주1)	미가입 시 전액 경비 인정 불가	여러 대인 경우 업무전용 보험 가입 필요 (1대는 가입 안 해도 한도 내 경비인정) *간편장부 대상자는 차량 관련 비용에 제한 없음
경비 기본한도	연간 1500만 원 (감가상각비 한도 800만 원) 단, 운행일지 작성 시 업무 사용률만큼 한도 인정	
감가상각	5년간 균등하게 강제상각(매월 동일한 금액)	

주1) 개인사업자 업무 전용 보험 미가입 시
- 성실신고확인대상자 또는 전문직 업종 사업자: '24.1.1 이후 경비인정 안됨 (2023년 귀속 50% 인정)
- 위 대상자가 아닌 복식부기 의무자 : '26.1.1 이후 경비인정 안됨(2023년 귀속 100%, 2024~2025년 귀속 50% 인정)

개별소비세 과세대상인 승용차가 업무용 승용차 세무 적용 대상이며 배기량 1,000cc 이하 경차나 9인승 이상 승합 차는 적용 대상이 아니다. 1년 경비 한도 1,500만 원 적용 대상이 아니다.

03. 취득시기에 따른 비용인정 금액 비교

제도 시행 전·후 업무용 승용차 감가상각 비교

구분	시행 전	시행 후
상각방법	정액법, 정률법	정액법
내용연수	기준내용연수, 신고내용연수, 특례내용연수	5년
상각 방식	임의상각	강제상각
손금산입 한도	상각범위액	800만 원
상각부인액	시인부족액 발생 시 추인	800만 원에 미달하게 되는 경우 그 미달하는 금액을 한도로 추인

04. 차량운행기록부

차량운행기록부를 작성하면 경비로 인정받을 수 있는 금액이 늘어나서 좋긴 하지만 비용 효익 관점에 따라서 차량운행기록부를 작성한다는 것은 매우 어려운 일이다. 따라서 실무에서는 거의 대부분 차량운행기록부를 작성하지 않고 세법에서 정해진 한도 내에서만 비용인정을 받는다.

차량 운행기록부를 작성해야 하는 이유

차량운행기록부를 작성해야 하는 이유는 업무용 승용차 관련 비용 중 감가상각비 인정 금액은 최대 800만 원으로 고정이 되어있다. 하지만 차량운행기록부를 작성하게 되면 보험료, 자동차세, 수선비, 유류비 등을 700만 원을 초과해서 비용으로 인정받을 수 있다.

차량 운행기록부를 작성하지 않은 경우

차량운행기록부를 작성하지 않게 되면, 업무용 승용차 관련 비용에 대해서 감가상각비를 포함하여 1년에 1대당 1,500만 원을 한도로 경비 처리를 할 수 있다. 즉 1,500만 원 이상의 금액은 비용으로 인정받을 수 없다. 만약 이외의 업무 사용 비율에 따라 1,500만 원을 초과하는 업무용 승용차 관련 비용에 대해서 인정받고 싶다면 차량운행기록부를 작성해야 한다.

05. 차량감가상각비

차량의 경우 감가상각비를 고려해야 한다. 감가상각비란 무엇일까? 감가상각비란, 부동산을 제외한 고정산에 생기는 가치의 소모를 계산하는 회계상의 절차로, 시간의 흐름에 따른 유형자산의 가치 감소를 장부에 반영하는 것을 말한다. 이해를 돕기 위해서 자산구매에 사용한 대금을 한 번에 비용으로 인식하는 것이 아니라 매년 일부 금액씩 비용 처리하게 되는데, 이를 감가상각비라고 한다.

리스·렌탈의 경우에는 뭐라고 할까? "감가상각비 상당액"이라 한다. 취득, 리스·렌탈 모두 승용차별로 1년에 총 1,500만 원을 한도로 경비 처리되며, 그중 감가상각비는 800만 원을 한도로 경비 처리된다.

감가상각비의 한도액은 연 800만 원으로 이를 초과하는 금액은 다음 과세 연도로 이월하여 필요경비로 산입할 수 있다. 반대로 연 800만 원을 미달하게 되면 그 금액을 한도로 필요경비에 추인할 수 있다.

폐업하는 경우

폐업을 하게 되면 차량은 어떻게 처리할지 어려울 수 있다. 하지만 생각보다 단순하다. 폐업하게 되면 폐업하는 시점에 전액을 추인하면 된다. 폐업 시 남아있는 업무용 자동차의 잔존가액을 폐업일이 속하는 과세기간에 비용으로 처리하면 된다.

06. 업무용 승용차 처분

차량을 처분하게 될 때는 처분가액을 수입 금액에 포함한다. 의 매도 금액은 병의원 총 수입금액에 산입한다. 다만, 성실신고 확인 대상자 여부 판단 매출액에서는 제외하고 있다.

업무용 승용차 처분 손실 계산

업무용 승용차를 처분하게 될 때 손실을 보게 되는데 이러한 금액은 차량별로 1년에 800만 원까지 한도로 필요경비에 산입한다. 만일 800만 원을 초과하는 금액은 다음 연도로 이월하여 마찬가지로 800만 원을 한도로 필요경비에 산입한다.

필요에 의해 처분하는 것이 아니라 병의원을 폐업하게 되면서 차량을 처분하게 되는 경우에는 과거에 처분하여 이월되고 있는 업무용 승용차 처분 손실액에 대해 폐업일이 속하는 과세기간에 모두 필요경비에 산입한다.

> 업무용 승용차 처분 손실 – 800만 원 = 한도 초과액 손금 불산입 기타 사외유출
> (즉, 800만 원까지만 손금 인정)

> **업무용 승용차 처분 손실 이월 손금산입**
>
> 다음 사업연도부터 손금산입 기타
> 손금산입액 = MIN(①처분 손실 잔액, ②800 만 원)

07. 차량 수

차량을 업무 전용으로 구매하려고 할 때 몇 대까지 가능할까? 공동사업자 구성원 만큼 차량을 병의원 업무에 사용할 수 있다. 공동사업자 수보다 더 많은 차량 보유 시 실제로 업무에 쓰는 차량이면 문제가 없지만, 그렇지 않고 원장님들의 가족분들이 쓰거나 하는 경우 세무조사에서 적발 시 가사 경비로 부인될 수 있는 점을 유의하여야 한다.

08. 업무 전용 자동차보험

병의원의 업무 전용 자동차보험 가입 의무화

전문직 업종의 경우 차량 1대를 초과할 경우, 1대를 제외한 차량은 업무용 승용차 전용 자동차보험 가입이 의무화되었다. 즉, 전문직 업종의 사업 관련 차량이 2대 이상인 경우 1대를 제외한 모든 차량은 업무 전용 자동차보험에 가입해야 차량 관련 경비가 인정된다.

성실신고 확인 대상자 및 전문적 업종 사업자를 제외한 사업자에 한해서는 25년까지 업무용 승용차 관련한 비용 50%까지는 인정하는 유예기간을 주지만 병의원의 경우는 전문 직업 종이기 때문에 해당되지 않는다.

업무용 전용 자동차보험에 가입하게 되면 병의원 업무 이외에 사용하게 되어도 병의원 종사자로 피보험자가 제한되기 때문에 만약, 배우자나 자녀가 업무용 승용차를 운행하다가 사고가 나게 되면 보험 적용을 받을 수 없다.

의료법인의 업무 전용 자동차보험 가입

의료법인의 업무 전용 자동차는 무조건 의료법인 업무 전용 자동차보험 가입을 해야 한다. 만일 가입을 하지 않게 되면 업무용 승용차 관련 비용이 전액 부인된다.

앞서 말한 것과 같이, 의료법인이 업무 전용 자동차보험에 가입하게 된 경우 임직원이 아닌 다른 제3자는 자동차보험의 피보험 대상이 될 수 없으므로 의료법인 업무 전용 자동차를 운행하다 사고가 발생하여도 보상을 받을 수 없다.

의료법인 임직원의 가족이나 친척과 같은 제3의 인물에 대해서도 자동차보험을 적용받을 수 있도록 피보험자를 추가하게 되면, 업무 전용 자동차보험에 해당하지 않게 되므로 업무용 승용차 관련 비용에 대해서 전액 인정을 받지 못하게 된다. 그러니 차량에 대해서 다른 제3자가 운영하는 것도 안되고, 보험 적용을 받기 위해 노력한다고 해도 바로 비용 인정을 받을 수 없게 될 것이다.

09. 업무용 승용차 절세

업무용 차량에 대해서 세금적인 방면에서는 어떠한 절세방법이 있고 어떻게 활용할 수 있을까? 업무용 차량을 절세하기 위해서는 취득금액이 증가하게 됨에 따라 절세금액도 증가해야 한다. 하지만 1년에 총 1,500만 원 (감가상각비 800만 원)을 한도로 경비가 인정되고 있기 때문에 사실상 절세할 수 있는 금액이 한계가 있다.

그만큼 업무용 승용차로 절세할 수 있는 금액은 한계가 있다. 따라서, 절세보다는 원장님의 기호에 맞는 차량을 구입하는 방향을 설정해야 한다. 많은, 원장님들이 자동차를 어떤 것을 사고 어떠한 방법(취득, 리스, 렌트) 절세가 되는지 물어보시는데 실질적으로 큰 차이가 없다.

10. 업무용 승용차 관련 비용

  운행기록을 작성하지 않는 경우 최대 1,500만 원(감가상각비 800만 원)을 한도로 경비가 인정되고 있다. 최대한의 업무용 승용차의 인정 금액을 높이기 위해서는 개인적으로 사용하지 않고 업무 전용으로만 사용하고 운행기록부를 작성해야 한다. 업무 사용률이 높을수록 업무용 승용차 관련 비용을 최대치로 처리할 수 있다.

업무용 승용차 관련 비용은 취득비용과 유지비용으로 구성된다.

업무용 승용차 관련 비용 = 취득 관련 비용 + 유지 관련 비용		
취득 관련 비용		유지 관련 비용 (합계:①~⑥)
a. 취득: 정액법 감가상각비 b. 리스: 리스비 93% c. 렌트: 렌트비 70% ※ 1년 감가상각비 한도 = min [감가상각비×업무 사용 비율, 800만 원]	+	① 보험료
		② 자동차세
		③ 수선비
		④ 유류비
		⑤ 통행료
		⑥ 금융리스 이자

  기본적으로 업무용 승용차 관련 비용은 취득비용과 유지 비용으로 구성되어 있다. 업무 사용 비율은 아래 보는 식과 같다. 업무 사용 비율은 주행거리와 연관이 있다.

$$업무사용비율 = \frac{업무사용거리}{총주행거리(업무사용거리+사적사용거리)}$$

업무 사용 비율 높이기

업무 사용 비율은 업무용 승용차의 비용 인정받을 수 있는 금액과 관련이 크다. 최대한으로 비용을 인정받기 위해서는 정말 업무에만 사용하는 것이다. 업무용 승용차임에도 불구하고 사적으로 이용하는 사람이 다수이기 때문에 사적인 사용을 하지 않게 되면 당연히 업무 사용 비율 또한 100%가 된다. 추천하는 방법은 출퇴근 용도로만 차량을 이용하게 되면 업무용 승용차의 유지 비용도 감소하게 되고 자연스럽게 비용으로 인정받는 금액도 적어지기 때문에 출퇴근 용도로만 사용하는 것이 비용적 측면에서는 가장 효율적이다.

전액 비용 공제되는 차량 구입

개별소비세 비과세 대상 차량을 구입하여 사용하는 것도 절세를 위한 좋은 방법이다.

✦ 개별소비세 비과세대상 차량

▣ 정원 9인 이상 승용차

② 승합자동차

③ 화물차

④ 배기량 1,000cc 이하 경차

예를 들면, 9인승 카니발이나 모닝, 레이, 캐스퍼, 스파크 등을 업무용 승용차로 사용한다면 부가세 매입세액공제뿐만 아니라 전액 비용으로 인정되므로 절세에 큰 효과가 있다.

11. 취득 vs 리스·렌탈

업무용 승용차를 이용하는 방법은 4가지가 있다.

> 1. 일시불 취득
> 2. 할부 취득
> 3. 리스
> 4. 렌탈

금액의 크기 순서는 1번<2번<3번<4번일 것이다. 일반적으로 원장님들은 본인의 돈으로 하는 것들은 1번과 2번 취득으로 많이 하고 병원 비용이나 타인의 자금을 이용하는 경우 3번과 4번으로 많이 한다.

원장님들이 많이 물어보시는 것 중에 어떤 취득 방법이 가장 좋은 방법이냐고 물어보시는데, 세법에서 비용인정을 한도로 규제함으로 인해 각자의 비용 절세 부분은 큰 차이가 없다. 따라서 원장님의 현재 자금 사정을 보고 결정하는 것이 중요하고]다.

원장님이 현재 차를 살 자금이 충분히 있다면 취득해서 높은 할부 이자비용이나 금융리스, 렌탈비용을 최소화시키는 것이 좋고, 그렇지 않고 자금을 다른 곳에 투자하여 더 나은 수익률을 얻을 수 있다면, 할부, 리스, 렌탈 등의 이자비용을 부담하는 것이 좋다.

렌탈의 경우 보험료를 렌탈회사의 보험료로 측정하기 때문에 보험료가 낮아지는 효과가 있으므로 절세보다는 이러한 모든 사정을 종합하여 판단하는 것이 좋다.

건강보험료
① 업무용 승용차를 취득하게 되는 경우
　의사는 건강보험료 직장가입자이므로 업무용 승용차를 취득하게 되더라도 건강보험료가 증가할 걱정을 하지 않아도 된다. 하지만, 지역가입자로 변경된다면 소득 점수에 따라 건강보험료가 증가할 수 있기 때문에 이 점은 주의해야 한다.

② 업무용 승용차를 리스·렌탈 하는 경우

리스·렌탈을 하게 되면 취득이 아니기 때문에 건강보험료는
신경 쓰지 않아도 된다.

[추천인의 말] 병의원 원장님들의 교과서 같은 책이 되기를

병의원 시장은 점점 경쟁이 치열해지고 전문화되는 추세이다. 이에 발맞추어 세무 분야도 마찬가지로 다방면에서 잘하는 것보다 어느 한 분야에서 전문성이 돋보여야 한다. 경험이 없거나 해당 분야를 잘못 이해하면 세법 적용에 있어서 혼선을 가져올 수 있으므로 그만큼 세무사도 노력하는 것이 중요하다. 은행원 경력을 10년 이상 하고 세무서와 세무법인에서 근무 경력을 가진 임동훈 세무사야 말로 세법과 금융을 아우르는 전문 세무사라고 자부한다. 특히, 은행 시절부터 의사분들의 금융자산 관리와 세무사가 된 뒤에 병의원 세무의 질 높은 세무 서비스와 정보를 제공하고자 고민한 내용의 노하우를 담아 병의원 세금의 정석이라는 책을 발간하게 되었다. 병의원 운영하면서 많은 궁금증과 세무 문제 및 자산형성에 대한 내용을 쉽고 재미있게 풀어, 세무전문가가 아닌 원장님들도 쉽게 읽고 도움을 받을 수 있을거라 생각한다.

가장 감명 깊게 봤던 것은 3장의 자산관리 비법이다. 이는 작가의 획기적인 아이디어를 원장님에게 알려주었다.

이 책이 원장님들의 병원 경영 방향을 결정하는 교과서가 되길 기원한다. 또한, 임동훈 세무사는 앞으로 병의원 전문 세무사로서 최고가 될 수 있도록 항상 정진할 수 있길 당부한다.

세무법인 한밭 대표 임소병 세무사